1章

Excel
基本操作の
見るだけ図解

Excel基本操作の
頻出ショートカットキー

基 本 操 作 ショートカットキー 一覧

Ctrl + Shift + ^	標準の表示形式に戻す	23ページへ
Shift + '	入力したまま表示	24ページへ
F2	セル内にカーソル	26ページへ
Alt → H → 6 , 5	表示位置を右/左にずらす（インデント）	28ページへ
Ctrl + 1	「セルの書式設定」を呼び出す	30ページへ
Alt → H → B → ??	罫線を引く	32ページへ
Ctrl + Alt + V	形式が崩れないようにペースト	34ページへ
Ctrl + D , R	セルの値を下/右方向にコピー	37ページへ
Alt → H → F → I → S	連続入力	38ページへ
Ctrl + Shift + +	行や列の挿入	39ページへ
Ctrl + Shift + Home	A1セルまで選択	43ページへ
Ctrl or Shift + スペース	セルの選択	44ページへ
Ctrl + N	ブックの新規作成	46ページへ
Shift + F11	シートの作成	47ページへ
Ctrl + PageDown , PageUp	右/左のシートへ移動	47ページへ
Alt → W → N	ブックを2つの画面に表示	48ページへ
Alt → W → S	シートを4つに分割表示	48ページへ

テキスト選択&入力を効率化!
Ctrlキーが要

基本操作

Excelを素早く操作するためには、マウス操作を減らし、キーボードだけで処理する「ショートカットキー」の使いこなしが欠かせません。

Ctrl + A ち, C そ, V ひ, X さ, Z っ, Y ん

Excelを
コントロール
するのは
アナタです!

全選択の Ctrl + A はALL(すべて)のA!

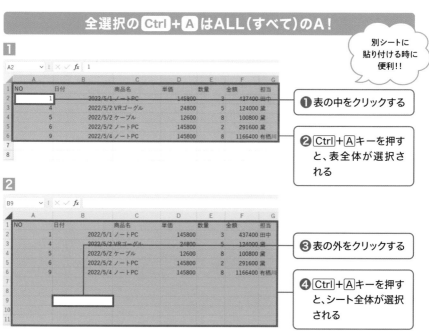

別シートに
貼り付ける時に
便利!!

1

❶表の中をクリックする

❷Ctrl+Aキーを押すと、表全体が選択される

2

❸表の外をクリックする

❹Ctrl+Aキーを押すと、シート全体が選択される

Ctrl + C はコピー（copy）のC ／ Ctrl + V は貼り付け

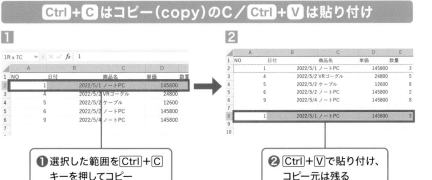

❶選択した範囲を Ctrl + C キーを押してコピー

❷ Ctrl + V で貼り付け、コピー元は残る

Ctrl + X → 切り取る　ハサミの形のX

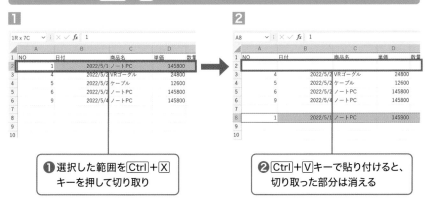

❶選択した範囲を Ctrl + X キーを押して切り取り

❷ Ctrl + V キーで貼り付けると、切り取った部分は消える

Ctrl + Z で元に戻す ／ Ctrl + Y でやり直し

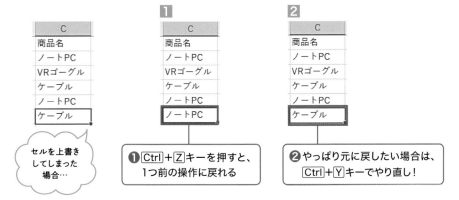

セルを上書きしてしまった場合…

❶ Ctrl + Z キーを押すと、1つ前の操作に戻れる

❷やっぱり元に戻したい場合は、Ctrl + Y キーでやり直し！

大事なデータはショートカットで
一発保存 が勝ち！

基本操作

大切なデータを万が一のトラブルで失わないためには、こまめに保存するのが一番。素早く確実に保存するクセをつけてトラブルと無縁な人生を送りましょう。

なんでもかんでも
上書きしたら
ダメですよ

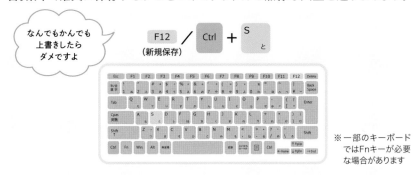

F12
（新規保存）

Ctrl + S と

※一部のキーボード
ではFnキーが必要
な場合があります

保存の方法は2種類！

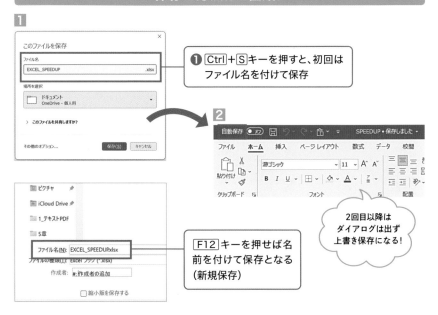

❶ Ctrl + S キーを押すと、初回はファイル名を付けて保存

2回目以降は
ダイアログは出ず
上書き保存になる！

F12 キーを押せば名前を付けて保存となる（新規保存）

Excel界の義務教育！ Ctrlキー＋アルファベット一覧

キー	操作	ルール
Ctrl + **A**	すべてのセルを選択する、表を選択する	「All（すべて）」の頭文字
Ctrl + **B**	太字にする	「Bold（太字）」の頭文字
Ctrl + **C**	選択セルをコピーする	「Copy（コピーする）」の頭文字
Ctrl + **D**	上のセルの値を下にコピー	「Down（下）」の頭文字
Ctrl + **E**	フラッシュフィル	「Embedded（埋め込み）」の頭文字
Ctrl + **F**	文字列を検索する	「Find（探す）」の頭文字
Ctrl + **G**	ジャンプ機能	「Go（行く）」と考えよう
Ctrl + **H**	置換機能	「変換」の「H」と考えよう
Ctrl + **I**	文字を斜体に	「italic（イタリック）」の頭文字
Ctrl + **K**	ハイパーリンクの設定	「Link」の語尾
Ctrl + **N**	ファイルを新規作成する	「New（新規）」の頭文字
Ctrl + **O**	ファイルを開く	「Open（開く）」の頭文字
Ctrl + **P**	ファイルを印刷する	「Print（印刷する）」の頭文字
Ctrl + **Q**	クイック分析	「Quick」の頭文字
Ctrl + **R**	左のセルの値を右にコピー	「Right（右）」の頭文字
Ctrl + **S**	ファイルを上書き保存する	「Save（保存する）」の頭文字
Ctrl + **T**	テーブルを作成する	「Table（テーブル）」の頭文字
Ctrl + **U**	下線を引く	「Under（アンダー）」の頭文字
Ctrl + **V**	ペースト	コピーの C キーの右隣にある
Ctrl + **W**	ウィンドウを閉じる	「Window」の頭文字
Ctrl + **X**	切り取り	切り取るハサミ（X）の形
Ctrl + **Y**	やり直し	「やり直し」の「Y」と考えよう
Ctrl + **Z**	元に戻す（最後の操作を取り消す）	アルファベットの最後＝「Z」と考えよう

Altキーは一発で操作を 一覧できる魔法のキー

基本操作

Excelには特定のキーを同時に押す「ショートカットキー」に加えて、順番に押していく「アクセスキー」があります。どちらも使って、サクサク操作しましょう。

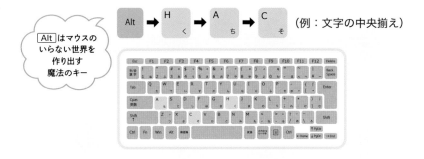

Alt はマウスの いらない世界を 作り出す 魔法のキー

Alt → H → A → C （例：文字の中央揃え）

Alt を押すとガイドが表示される

❶ Alt キーを1回押すと、リボンに アルファベットがふられる

覚える必要はなし！ メインのキーの ルールを知っていれば、 仕事効率UP！

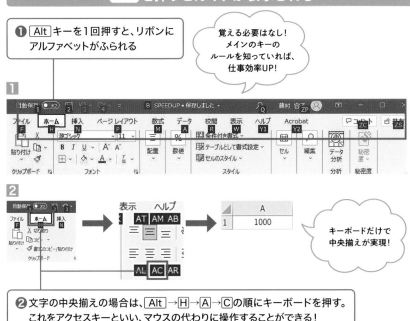

キーボードだけで 中央揃えが実現！

❷ 文字の中央揃えの場合は、 Alt → H → A → C の順にキーボードを押す。 これをアクセスキーといい、マウスの代わりに操作することができる！

ルールを知っておこう！ **Alt**キーでの操作一覧

Alt ➡ H < (ホームタブ) ➡ A ち (配置：Arrangement) ➡ ??

Alt ➡ H ➡ A
- ➡ **C** セル内の文字を中央揃えにする「Center（中央）」の頭文字
- ➡ **L** セル内の文字を左揃えにする「Left（左）」の頭文字
- ➡ **R** セル内の文字を右揃えにする「Right（右）」の頭文字

Alt ➡ H < (ホームタブ) ➡ D し (消す：delete) ➡ ?? ※Ctrl+—キーでも可能

Alt ➡ H ➡ D
- ➡ **D** セルの削除（delete）
- ➡ **R** シートの行（row）の削除
- ➡ **C** シートの列（column）の削除
- ➡ **S** シート（sheet）の削除

Alt ➡ H < (ホームタブ) ➡ F は (フォント) ➡ ??

Alt ➡ H ➡ F
- ➡ **C** 文字色（color）を変更
- ➡ **S** フォントサイズ（size）を変更

Alt ➡ H < (ホームタブ) ➡ H < (背景のH) ➡ ??

Alt ➡ H ➡ H
- ➡ → ← ↑ ↓ セルの色を選ぶ
- ➡ **N** 背景色（H）を消す（なしのN）

Alt ➡ H < (ホームタブ) ➡ M も (合併：mergence) ➡ ??

Alt ➡ H ➡ M
- ➡ **M** セルの結合
- ➡ **C** セルを結合して中央（center）揃え
- ➡ **A** 横方向（across）に結合
- ➡ **U** セルの結合を解除（unlock）

見るだけ
図解
04

作業が終了したら
ウィンドウを即終了!

基本操作

作業が終わったソフトやウィンドウは、開きっぱなしだとパソコンのメモリを圧迫し、誤操作などでデータを失う危険も。必ず閉じるクセをつけましょう。

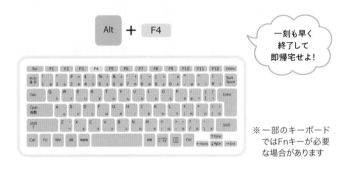

一刻も早く
終了して
即帰宅せよ!

※一部のキーボードではFnキーが必要な場合があります

Alt + F4 でウィンドウを消す

1

Microsoft Excel

⚠ 'Book1.xlsx' の変更内容を保存しますか?

[保存しない] をクリックした場合でも、このファイルの最新のコピーが一時的に保存されます。
詳細を表示

保存(S)　　保存しない(N)　　キャンセル

データを保存していない場合は、保存を促すダイアログが表示されるので、安心!

❶ Alt + F4 キーを押すと、Excel自体が終了。タスクバーからも消える!

見るだけ図解 05

頻繁に入力するからこそ
日時は一発入力が便利

入力

Excelで扱うデータには日付や時刻も含まれます。いちいちカレンダーや時計を見なくても、Excelに任せれば、万事正確に入力してくれるのです。

半角・全角を
切り替える
手間も省ける！

Ctrl+; で今の日付を入力

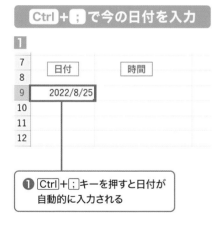

❶ Ctrl+; キーを押すと日付が自動的に入力される

Ctrl+: で今の時間を入力

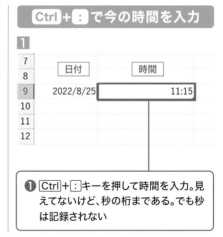

❶ Ctrl+: キーを押して時間を入力。見えてないけど、秒の桁まである。でも秒は記録されない

住所をイチイチ入力せずに
郵便番号から呼び出し！

入力

長い住所をいちいち入力するのは大変ですが、郵便番号さえわかれば、住所入力の大半はたった8文字入力するだけで解決します。

郵便番号を全角入力して スペース or 変換

郵便番号を全角ハイフンありで入力して変換

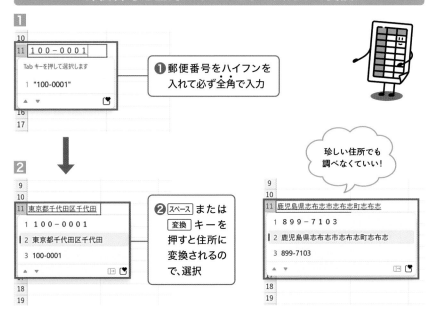

1

| 10 | |
| 11 | 100-0001 |

Tab キーを押して選択します

1 "100-0001"

❶郵便番号をハイフンを入れて必ず全角で入力

16
17

2

9	
10	
11	東京都千代田区千代田

1 100-0001
2 東京都千代田区千代田
3 100-0001

18
19

❷ スペース または 変換 キーを押すと住所に変換されるので、選択

珍しい住所でも調べなくていい！

9	
10	
11	鹿児島県志布志市志布志町志布志

1 899-7103
2 鹿児島県志布志市志布志町志布志
3 899-7103

18
19

ショートカットで「表示形式」を一発変換!

入力

Excelでは、同じ「1000」というデータでも「1,000」「1000%」「¥1000」では計算式に使えないことも。でもショートカットですぐに「1000」に戻せます。

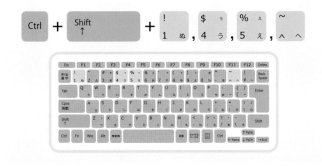

表示形式とは?

　Excelではセル内には直接カンマや%を入力しないのがルール。なぜなら、例えば「1000」と入力し計算したくても、「1,000」と入力してしまうとエラーになってしまうから。カンマはあくまでも表面的に見せたいもので、内容は「1000」であってほしい。そんな時に使うのが表示形式!

主要な表示形式はショートカットで指定!

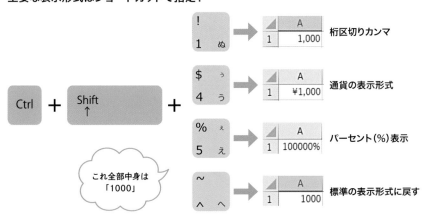

23

「001」の「00」など入力した文字をそのまま表示！

入力

Excelには入力したデータを自動整形するオートコレクト機能がありますが、あえて使いたくないことも。そのまま表示する方法を知っておきましょう。

Shift + 7 や

「シングルコーテーション」と読みます

入力した文字は、'でそのまま表示

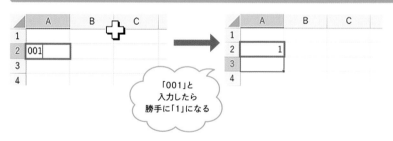

「001」と入力したら勝手に「1」になる

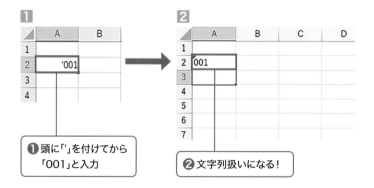

❶頭に「'」を付けてから「001」と入力

❷文字列扱いになる！

見るだけ図解 09 「様」は大事なワードだから簡単入力をマスター

入力

宛名ラベル用に住所録などを作っていると、敬称が必要になることも。敬称が抜けて失礼にならないよう、自動で付けられるようにしましょう。

ユーザー定義に大事なワードを登録

1

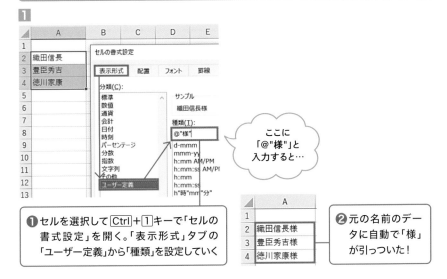

ここに「@"様"」と入力すると…

❶セルを選択して Ctrl + 1 キーで「セルの書式設定」を開く。「表示形式」タブの「ユーザー定義」から「種類」を設定していく

❷元の名前のデータに自動で「様」が引っついた!

「@" 様"」と入力した時
半角スペース

❸名前と「様」の間にスペースが入る

「@* "様"」と入力した時
アスタリスクと半角スペース

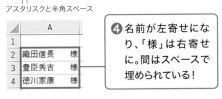

❹名前が左寄せになり、「様」は右寄せに。間はスペースで埋められている!

『@』は文字列の表示形式を変更する際に使用する。元データが"値"の時は『#』や『0』を使おう。
よく使うユーザー定義は122ページの「表示形式」を参照(ユーザー定義とTEXT関数の表示形式はどちらも同じ項目を利用可能)」

セルに入力したら
全部消える!? を解決!

入力

セルの中のデータの一部を修正したいのに、丸ごと上書きになってしまったこと
はありませんか? この方法を知っていれば、そんなミスは一切なくせます!

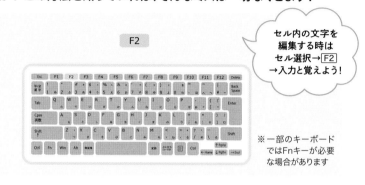

F2

> セル内の文字を
> 編集する時は
> セル選択→F2
> →入力と覚えよう!

※ 一部のキーボード
ではFnキーが必要
な場合があります

マウスを使わずセルにカーソルを入れる

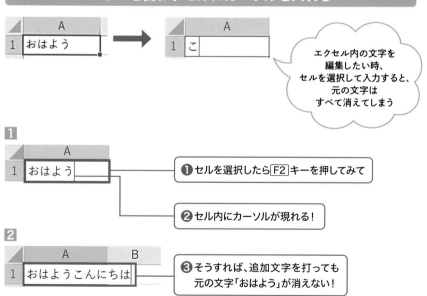

	A
1	おはよう

	A
1	こ

> エクセル内の文字を
> 編集したい時、
> セルを選択して入力すると、
> 元の文字は
> すべて消えてしまう

1

	A
1	おはよう

❶セルを選択したらF2キーを押してみて

❷セル内にカーソルが現れる!

2

	A	B
1	おはようこんにちは	

❸そうすれば、追加文字を打っても
元の文字「おはよう」が消えない!

見るだけ図解 11

変換間違いを
即座に再変換！

入力

入力したデータの変換間違いはよくあること。文字を消してもう一度入力し直すのは面倒ですよね。そんな時に役立つキー操作です。

変換

変換を間違えても修正の必要なし！

1️⃣

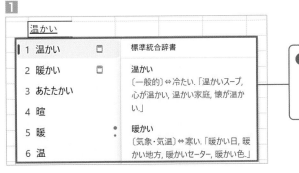

❶数式バーで文字を選択してスペースキーの隣の 変換 を押すと、変換候補が表示される

2️⃣

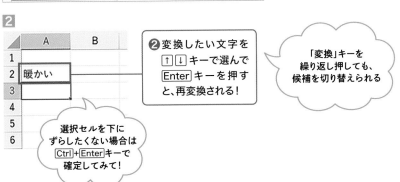

❷変換したい文字を ↑↓ キーで選んで Enter キーを押すと、再変換される！

「変換」キーを繰り返し押しても、候補を切り替えられる

選択セルを下にずらしたくない場合は Ctrl + Enter キーで確定してみて！

空白=見えない「文字」!
これはExcelではご法度

入力

表を印刷するために文字を動かしたいけれど、スペースで調整するとデータ自体が変わってしまいます。そんな時には「インデント」を使いましょう。

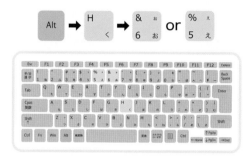

インデント機能で見えない空白を消す

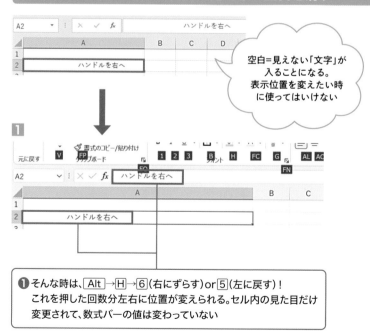

空白=見えない「文字」が入ることになる。表示位置を変えたい時に使ってはいけない

❶そんな時は、Alt→H→6(右にずらす)or5(左に戻す)!
これを押した回数分左右に位置が変えられる。セル内の見た目だけ変更されて、数式バーの値は変わっていない

見るだけ図解 13

変換が超時短できる
ファンクションキー

入力

データの入力時間を短縮するには、変換も効率的に行う必要があります。文字種を一発で変換できるショートカットでサクサク入力しましょう。

F6　　F7　　F8

※一部のキーボードではFnキーが必要な場合があります

入力して変換する時に使える小技！

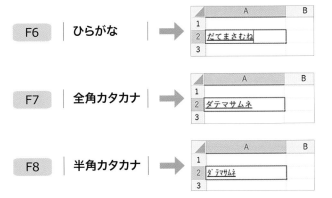

F6	ひらがな	→	だてまさむね
F7	全角カタカナ	→	ダテマサムネ
F8	半角カタカナ	→	ﾀﾞﾃﾏｻﾑﾈ

さらに、こんなファンクションキーの使い方も！

例：SUN	1回目	2回目	3回目
F9	全角小文字 （ｓｕｎ）	全角大文字 （ＳＵＮ）	全角＆先頭の文字だけ大文字 （Ｓｕｎ）
F10	半角小文字 （sun）	半角大文字 （SUN）	半角＆先頭の文字だけ大文字 （Sun）

セルの「書式設定」＝
Excelのデザインをマスター

Excelのセルは小さいですが、これ1つにたくさんの情報が詰まっています。こうした情報を一括して扱えるのが「書式設定」です。

Ctrl ＋ ！1 ぬ

「書式設定」という
言葉は堅いので、
「デザイン」と
考えればOK！

セルのデザインは自在に変えられる！

この「デザイン」を
変えるのが
「セルの書式設定」

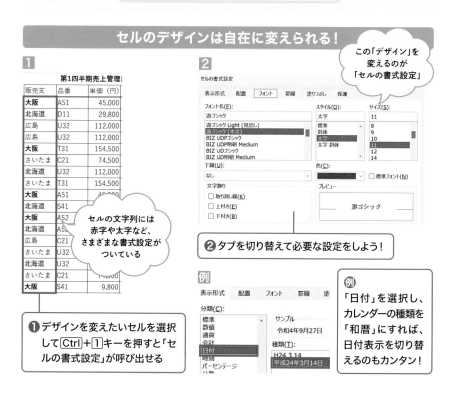

1

	第1四半期売上管理	
販売支	品番	単価（円）
大阪	A51	45,000
北海道	D11	29,800
広島	U32	112,000
広島	U32	112,000
大阪	T31	154,500
さいたま	C21	74,500
北海道	U32	112,000
さいたま	T31	154,500
大阪	A51	45,000
北海道	S41	
大阪	A52	
北海道	A5	
広島	C21	
さいたま	U32	
北海道	U32	
さいたま	C21	
大阪	S41	9,800

セルの文字列には
赤字や太字など、
さまざまな書式設定が
ついている

❶デザインを変えたいセルを選択
して Ctrl ＋ 1 キーを押すと「セ
ルの書式設定」が呼び出せる

❷タブを切り替えて必要な設定をしよう！

例
「日付」を選択し、
カレンダーの種類を
「和暦」にすれば、
日付表示を切り替
えるのもカンタン！

フォントや文字サイズなど「書式だけ」を瞬時にコピー

デザイン

クリップボードにコピーしたデータは、本来のデータと見た目（書式）を別々に扱えます。色や書体など書式だけをコピー＆ペーストすることもできるのです。

書式（デザイン）だけコピーしたい時は左上のブラシのマークをクリック

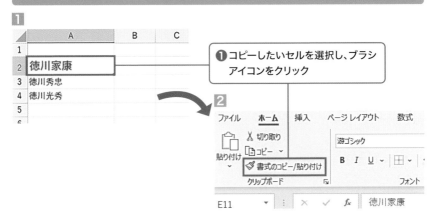

❶ コピーしたいセルを選択し、ブラシアイコンをクリック

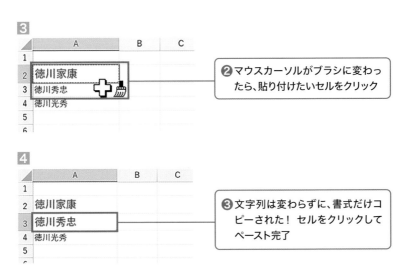

❷ マウスカーソルがブラシに変わったら、貼り付けたいセルをクリック

❸ 文字列は変わらずに、書式だけコピーされた！ セルをクリックしてペースト完了

罫線もキーボード操作で引けるって知ってた?

見やすい表を作る上で欠かせないのが、セルを囲む「罫線」の存在です。Excel
では罫線もキーボードだけでサクサク高速入力できるのです。

Alt キーで罫線を引く!

Alt → H く (ホームタブ) → B こ (セルの境目:border) → ??

Alt → H → B	→ **A**	格子線をすべて(ALL)に引く
	→ **N**	格子線を取る(なしのN)
	→ **S**	外枠を引く(外のS)

代表的なもの

Alt →H→B→A
格子線をすべて(ALL)に引く

◢	A	B	C
1			
2	1	2	3
3	4	5	6
4	7	8	9
5			

Alt →H→B→N
格子線を取る(なしのN)

◢	A	B	C
1			
2	1	2	3
3	4	5	6
4	7	8	9
5			

Alt →H→B→S
外枠を引く(外のS)

◢	A	B	C
1			
2	1	2	3
3	4	5	6
4	7	8	9
5			

罫線の外枠のみを引く！

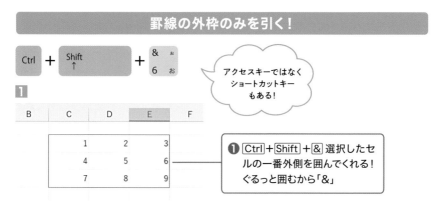

Ctrl + Shift ↑ + & 6 ぉ

アクセスキーではなく
ショートカットキー
もある！

1

B	C	D	E	F
	1	2	3	
	4	5	6	
	7	8	9	

❶ Ctrl + Shift + & 選択したセ
ルの一番外側を囲んでくれる！
ぐるっと囲むから「&」

選択されたセルのすべての罫線を消す

罫線の削除をして、
消したくない部分まで
消えてしまって、
また罫線を挿入する、は
もううんざり！

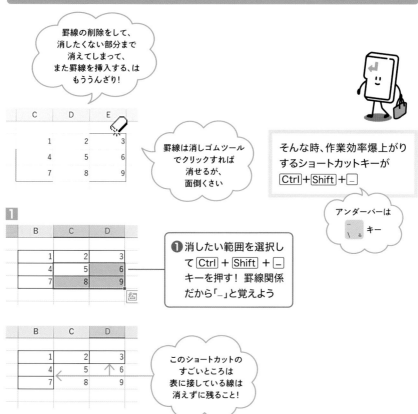

C	D	E
1	2	3
4	5	6
7	8	9

罫線は消しゴムツール
でクリックすれば
消せるが、
面倒くさい

そんな時、作業効率爆上がり
するショートカットキーが
Ctrl + Shift + _

アンダーバーは
\ ろ キー

1

B	C	D
1	2	3
4	5	6
7	8	9

❶ 消したい範囲を選択し
て Ctrl + Shift + _
キーを押す！ 罫線関係
だから「_」と覚えよう

B	C	D
1	2	3
4	5	6
7	8	9

このショートカットの
すごいところは
表に接している線は
消えずに残ること！

形式が崩れないように
コピー&ペースト

コピー&貼り付け

Excelでデータをコピー&ペーストする際に、元のデータの書式のせいでうまく貼り付けられないことも。形式を維持したままコピペする技を知ろう。

Ctrl + Alt + V ひ

貼り付けの時、[Alt]を間に挟むだけで景色が変わる!

形式が崩れないようにコピー&ペースト

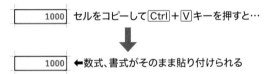

| 1000 | セルをコピーして[Ctrl]+[V]キーを押すと…

| 1000 | ←数式、書式がそのまま貼り付けられる

[Ctrl]+[Alt]+[V]キーで貼り付けると…

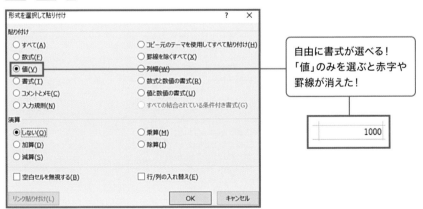

自由に書式が選べる!「値」のみを選ぶと赤字や罫線が消えた!

| 1000 |

「列・行の入れ替え」も カンタン！

あ	い	う

あ		
い		
う		

「行/列の入れ替え」
に☑を入れるだけ！

貼り付けの後からでも Ctrl キーでリカバリー可能

貼り付け形式を間違っても、
貼り付け直後に現れる
Ctrl キーを押せば
「貼り付けのオプション」が開くので、
そこから選び直せばOK！
例えば「元の列幅の保持」(Wキー)
を押せば、
列幅までコピペ！

コピーの履歴はクリップボードにあり！

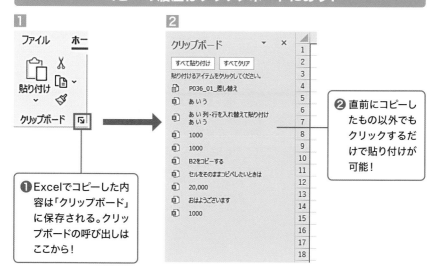

❶Excelでコピーした内容は「クリップボード」に保存される。クリップボードの呼び出しはここから！

❷直前にコピーしたもの以外でもクリックするだけで貼り付けが可能！

セルのコピー&ペーストで
セルの削除&挿入
コピー&貼り付け

セルを挿入したいのに、上書きになってしまって悔しい思いをしたことありませんか？ キー1つで世界がガラリと変わります。

Ctrl or Shift↑ ＋ドラッグ

Shift + Alt キーを押しながらセルをドラッグすれば、シート間の移動もできる！

キー操作だけで移動を実現！

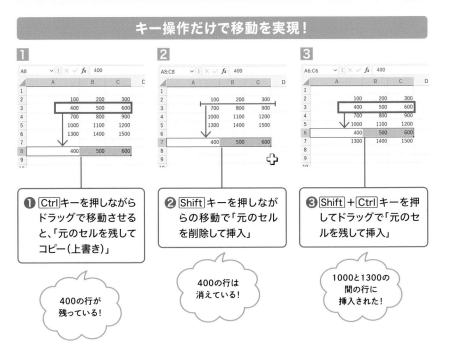

❶ Ctrl キーを押しながらドラッグで移動させると、「元のセルを残してコピー（上書き）」

400の行が残っている！

❷ Shift キーを押しながらの移動で「元のセルを削除して挿入」

400の行は消えている！

❸ Shift + Ctrl キーを押してドラッグで「元のセルを残して挿入」

1000と1300の間の行に挿入された！

見るだけ図解 **19**

データの複製には手入力はおろか
コピペ操作すら不要！ コピー&貼り付け

表をきれいに作り込むためには、同じ内容を何度も入力しなければならないことも。Excelにはデータの大量入力に便利な機能がしっかり用意されています。

Ctrl + D でセルを下方向にコピー、Ctrl + R で右方向にコピー

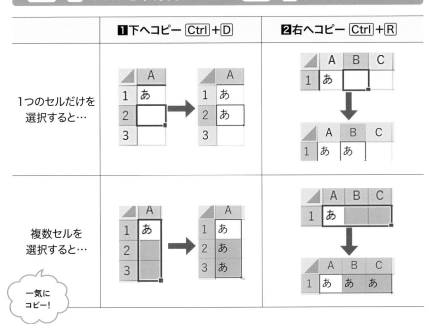

	❶下へコピー Ctrl + D	❷右へコピー Ctrl + R
1つのセルだけを選択すると…		
複数セルを選択すると…		

一気にコピー！

いちいちコピペせずに 連続入力を叶える！

コピー&貼り付け

実は大量のデータ入力こそ、Excelが得意とする分野の1つ。「フィル」機能を使えば、同じ項目の繰り返しも、連続データも思うがままです。

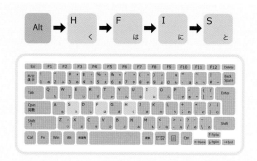

1～100,000まで番号を振りたい時などに便利！

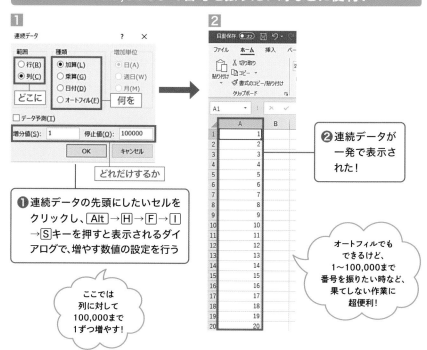

1 連続データの先頭にしたいセルをクリックし、Alt → H → F → I → S キーを押すと表示されるダイアログで、増やす数値の設定を行う

ここでは列に対して100,000まで1ずつ増やす！

2 連続データが一発で表示された！

オートフィルでもできるけど、1～100,000まで番号を振りたい時など、果てしない作業に超便利！

見るだけ図解 21

列や行の挿入が一瞬でできる!

行・列

行や列の挿入はよく使う機能。複数行を選んで同じ操作をすれば、行や列をまとめて増減させることができます!

Ctrl + Shift ↑ + + ; れ

Ctrl + - キーで逆
(行・列・セルの削除)
もできる!

+で増やす、
-で消す、
と超わかりやすい
ショートカット!

列・行の挿入なら

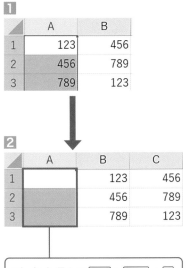

列・行を選んで Ctrl + Shift + + キーを押すと、押した回数分、列・行が追加される!

セルの挿入なら

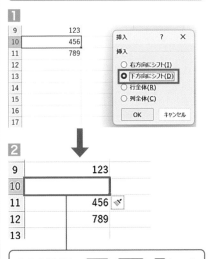

セルを選択して Ctrl + Shift + + キーを押すと、「挿入」ダイアログが現れる。今のセルをどの方向にずらすか選ぶと、新しいセルが入る!

セルの移動は「Tab」、「Shift」、「Enter」キーで自由自在！

見るだけ図解 22

移動

キーボードだけでセルを自在に飛び回れるようになれば、データ入力は劇的に高速化します。マウスを使わずに移動する方法をマスターしましょう。

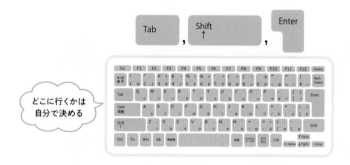

どこに行くかは自分で決める

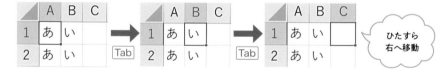

Tab キーで横移動

1つのセルを選択

	A	B	C
1	あ	い	
2	あ	い	

Tab ➡

	A	B	C
1	あ	い	
2	あ	い	

Tab ➡

	A	B	C
1	あ	い	
2	あ	い	

ひたすら右へ移動

複数のセルを選択

	A	B	C
1	あ	い	
2	あ	い	

Tab ➡

	A	B	C
1	あ	い	
2	あ	い	

Tab ➡

	A	B	C
1	あ	い	
2	あ	い	

選択範囲内で右端まできたら折り返してくれる！

縦移動は Enter キー

1つのセルを選択

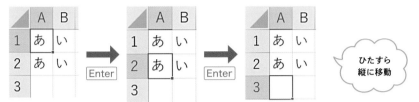

ひたすら
縦に移動

複数のセルを選択

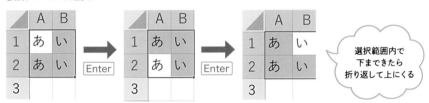

選択範囲内で
下まできたら
折り返して上にくる

Shift キーを追加して逆方向へ

1つのセルを選択

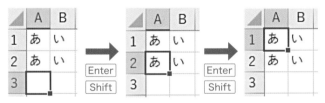

複数のセルを選択

Tab や Enter に
Shift キーを+すると、
逆方向に戻ることも
できる!

41

見るだけ図解 23 移動したいセルまで一気にジャンプ！

移動

大きな表を作成している時など、全体を把握することが大事です。Excelなら、端のセルまで一気に選択できます。

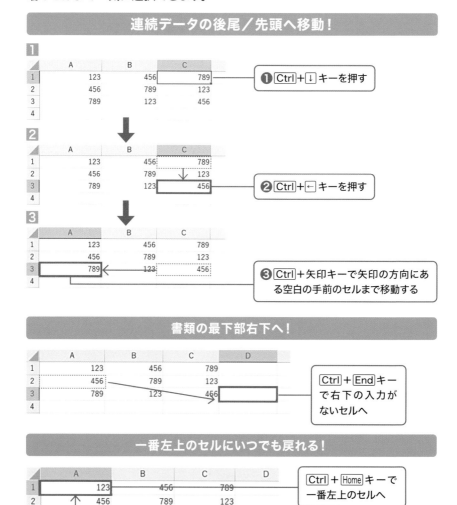

連続データの後尾／先頭へ移動！

❶ Ctrl + ↓ キーを押す

❷ Ctrl + ← キーを押す

❸ Ctrl + 矢印キーで矢印の方向にある空白の手前のセルまで移動する

書類の最下部右下へ！

Ctrl + End キーで右下の入力がないセルへ

一番左上のセルにいつでも戻れる！

Ctrl + Home キーで一番左上のセルへ

※一部のキーボードではFnキーが必要な場合があります

42

ワークシートの **セル「A1」** まで **一気に選択！**

選択

巨大なデータでも、Excelのスタート地点は常に「A1」から。どんな末端からでも先頭まで選択できる方法を覚えましょう。

※一部のキーボードではFnキーが必要な場合があります

選択セルから「A1」まで選択

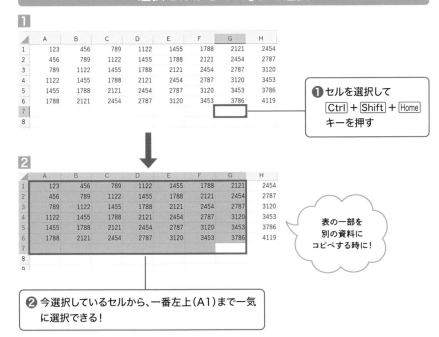

❶ セルを選択して
[Ctrl] + [Shift] + [Home]
キーを押す

表の一部を
別の資料に
コピペする時に！

❷ 今選択しているセルから、一番左上（A1）まで一気に選択できる！

43

「Ctrl」+「Shift」キーを使いこなして 自由自在にセルを選択!

見るだけ図解 25

選択

キーボードによる移動は、単なる移動だけでなく、セルの選択にも利用できます。広い範囲の選択はキーボードから行うのが圧倒的に高速です。

選択しているセルを行・列を端まで選択したい時、ドラッグは×

1 行

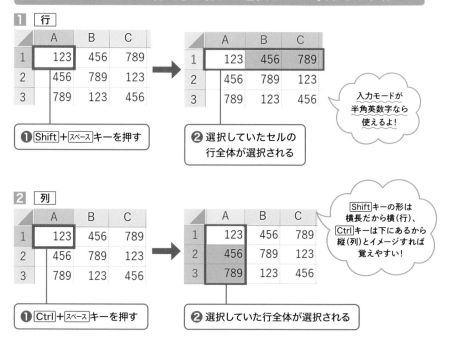

	A	B	C
1	123	456	789
2	456	789	123
3	789	123	456

➡

	A	B	C
1	123	456	789
2	456	789	123
3	789	123	456

❶ Shift + スペース キーを押す

❷ 選択していたセルの 行全体が選択される

入力モードが 半角英数字なら 使えるよ!

2 列

	A	B	C
1	123	456	789
2	456	789	123
3	789	123	456

➡

	A	B	C
1	123	456	789
2	456	789	123
3	789	123	456

❶ Ctrl + スペース キーを押す

❷ 選択していた行全体が選択される

Shift キーの形は 横長だから横(行)、 Ctrl キーは下にあるから 縦(列)とイメージすれば 覚えやすい!

離れたセルの選択は Ctrl を押しながらクリック!

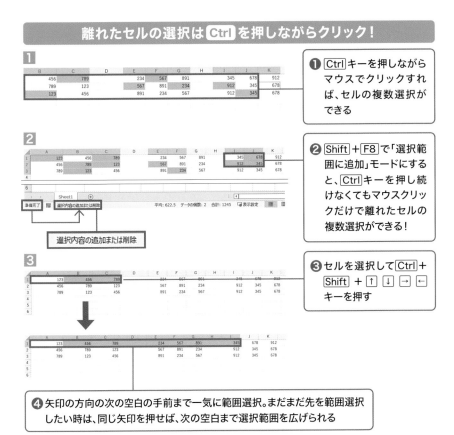

❶ Ctrl キーを押しながらマウスでクリックすれば、セルの複数選択ができる

❷ Shift + F8 で「選択範囲に追加」モードにすると、Ctrl キーを押し続けなくてもマウスクリックだけで離れたセルの複数選択ができる!

選択内容の追加または削除

❸ セルを選択して Ctrl + Shift + ↑ ↓ → ← キーを押す

❹ 矢印の方向の次の空白の手前まで一気に範囲選択。まだまだ先を範囲選択したい時は、同じ矢印を押せば、次の空白まで選択範囲を広げられる

表示サイズの変更

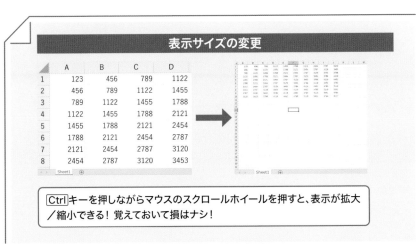

Ctrl キーを押しながらマウスのスクロールホイールを押すと、表示が拡大／縮小できる! 覚えておいて損はナシ!

ブック／シートでデータを効率よく管理

シート／ブック

Excelの「ブック」は1つのブックで複数の「シート」を管理できる優れもの。ブックやシートを増やして効率よく関連データをまとめて管理しましょう。

Excelの構成

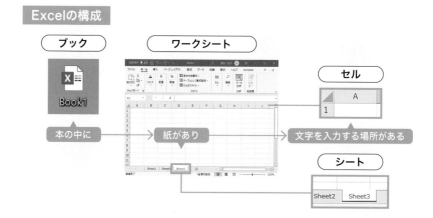

ブック ｜ ワークシート ｜ セル

本の中に → 紙があり → 文字を入力する場所がある

シート

ブックの新規作成＆ブック間の移動

Ctrl ＋ N キーで、新しいブックの追加

Ctrl ＋ F6 キーで、最小化されていない次のExcelブックに切り替えられる！

シートの作成

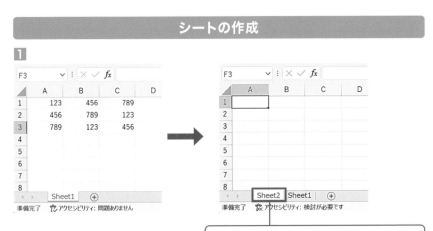

❶1つのブックに複数のページを作りたい時、「シートを増やす」という作業するよね。
[Shift]+[F11]キーで、新しいシートが爆誕！

次or前のシートに移動

※一部のキーボードではFnキーが必要な場合があります

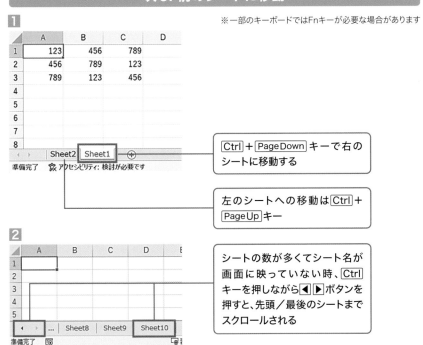

[Ctrl]+[PageDown]キーで右のシートに移動する

左のシートへの移動は[Ctrl]+[PageUp]キー

シートの数が多くてシート名が画面に映っていない時、[Ctrl]キーを押しながら[◀][▶]ボタンを押すと、先頭／最後のシートまでスクロールされる

大量データも怖くない！ウィンドウの切り替え シート／ブック

Excelでは巨大なファイルのあちこちを同時に確認したいことも。ファイルを分身分割してウィンドウを開けば、画面を切り替える手間を省けます。

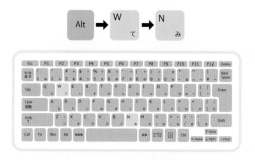

シート間を行ったり来たりせずに済む！

1 1つのブックを2つの画面に表示する

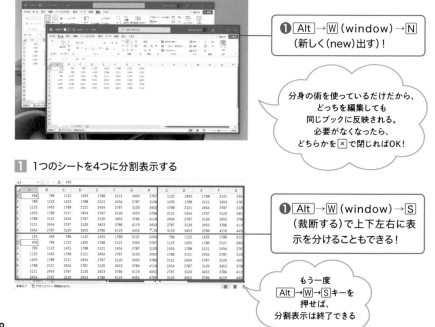

❶ `Alt` → `W` (window) → `N`
(新しく(new)出す)！

分身の術を使っているだけだから、どっちを編集しても同じブックに反映される。必要がなくなったら、どちらかを×で閉じればOK！

1 1つのシートを4つに分割表示する

❶ `Alt` → `W` (window) → `S`
(裁断する)で上下左右に表示を分けることもできる！

もう一度
`Alt`→`W`→`S`キーを
押せば、
分割表示は終了できる

2章

Excel
ステップアップ操作の
見るだけ図解

Excelステップアップ操作の頻出ショートカットキー

この章に出てくる ショートカットキー 一覧

Alt	→	H	→	O	→	P	シートの保護	64ページへ

Alt → H → O → P　シートの保護　　　　　　64ページへ

Alt → H → O → L　一部のセルのロックを解除　65ページへ

Alt → V → U　全画面表示　　　　　　　　　66ページへ

Esc　キャンセル　　　　　　　　　　　　　66ページへ

Alt → W → F → F　行・列の固定　　　　　67ページへ

Shift + Alt + → / ←　行・列のグループ化　68ページへ

Ctrl + Shift + U　数式バーの拡大／縮小　　69ページへ

Alt → H → M → C　セルを結合して中央揃え　70ページへ

Alt → P → G　背景に画像を挿入　　　　　　72ページへ

Alt → H → C → P　表を図としてコピー　　　73ページへ

Ctrl + P　印刷プレビューを表示　　　　　　75ページへ

Alt → W → I　改ページプレビューを表示　　76ページへ

Alt → W → P　ページレイアウトに切り替え　76ページへ

メモ機能を駆使して 修正箇所も楽チン共有

入力

作業中に気になった点を紙のメモで渡す時代は終わりました。ファイルの中に書き込むことで、複数人でのコラボ作業も円滑に行えます。

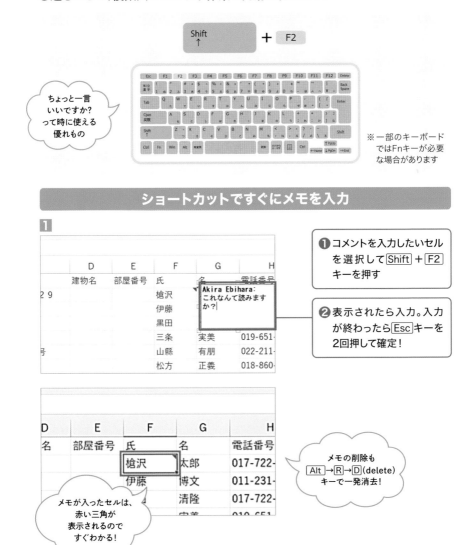

Shift
↑
+ F2

ちょっと一言
いいですか?
って時に使える
優れもの

※一部のキーボード
ではFnキーが必要
な場合があります

ショートカットですぐにメモを入力

1

	D	E	F	G	H
	建物名	部屋番号	氏	名	電話番号
2 9			槍沢		
			伊藤		
			黒田		
			三条	実美	019-651-
号			山縣	有朋	022-211-
			松方	正義	018-860-

Akira Ebihara:
これなんて読みます
か?|

❶コメントを入力したいセル
を選択してShift + F2
キーを押す

❷表示されたら入力。入力
が終わったらEscキーを
2回押して確定!

D	E	F	G	H
名	部屋番号	氏	名	電話番号
		槍沢	太郎	017-722-
		伊藤	博文	011-231-
			清隆	017-722-
			宝美	019-651-

メモが入ったセルは、
赤い三角が
表示されるので
すぐわかる!

メモの削除も
Alt → R → D (delete)
キーで一発消去!

見るだけ
図解
29

メモ探しは意外と大変！
一発表示できるショートカット

入力

メモ機能はとても便利ですが、たくさん入力すると、探し出すのも一苦労です。
メモが入った箇所を一発で表示させちゃいましょう。

Ctrl + Shift↑ + Oﾗ

メモを目視で
探すのは
結構な労力…

メモの全選択

1

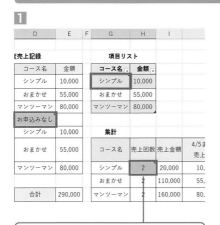

❶ Ctrl + Shift + O キーを押すと、メモ
があるセルが全選択される

2

❷ Tab キーを押せば、メモが入ってい
るセルを順番に移動できる

挿入の時と同じように、
Shift + F2 キーで
メモの編集も可能

見るだけ図解 30

ハイパーリンクを設定して
書類の見やすさアップ

入力

Webページなどへジャンプできる「ハイパーリンク」は、Excel書類の見やすさ
を一気に向上させる便利な機能です。

Ctrl + K の

「詳しくはここを
クリック」的なのも
Excelで
作れます！

ハイパーリンクの設定

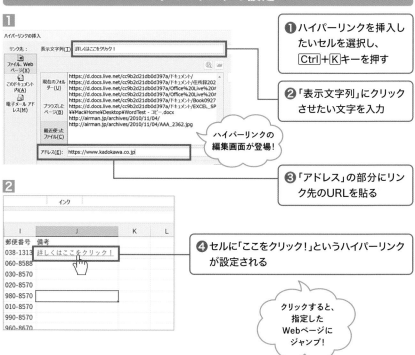

1

ハイパーリンクの挿入

リンク先：　　表示文字列(T)　詳しくはここをクリック！

ファイル、Web
ページ(X)

このドキュメント
内(A)

電子メール アド
レス(M)

現在のフォル
ダー(U)　　https://d.docs.live.net/cc9b2d21db0d397a/ドキュメント/
https://d.docs.live.net/cc9b2d21db0d397a/ドキュメント/住所録202
https://d.docs.live.net/cc9b2d21db0d397a/Office%20Live%20
ブラウズした　https://d.docs.live.net/cc9b2d21db0d397a/Office%20Live%20
ページ(B)　　https://d.docs.live.net/cc9b2d21db0d397a/Book0927
https://d.docs.live.net/cc9b2d21db0d397a/ドキュメント/EXCEL_SP
￥￥Mac￥Home￥Desktop￥WordTest - コピー.docx
最近使った　http://airman.jp/archives/2010/11/04/
ファイル(C)　http://airman.jp/archives/2010/11/04/AAA_2362.jpg

アドレス(E)：　https://www.kadokawa.co.jp

❶ ハイパーリンクを挿入し
たいセルを選択し、
Ctrl＋Kキーを押す

❷「表示文字列」にクリック
させたい文字を入力

ハイパーリンクの
編集画面が登場！

❸「アドレス」の部分にリン
ク先のURLを貼る

2

インク

	I	J	K	L
郵便番号	備考			
038-1313	詳しくはここをクリック！			
060-8588				
030-8570				
020-8570				
980-8570				
010-8570				
990-8570				
960-8670				

❹ セルに「ここをクリック！」というハイパーリンク
が設定される

クリックすると、
指定した
Webページに
ジャンプ！

見るだけ図解 31
見やすさを追求するなら セル内改行は必須!

入力

セルに複数行にわたる長い文章を入力する時は、改行位置を整えると見やすくなります。好きな位置で簡単に改行を行う効率的な方法があります。

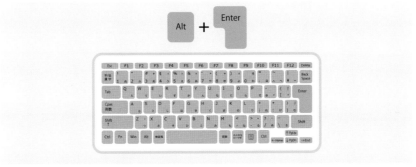

セル内での改行

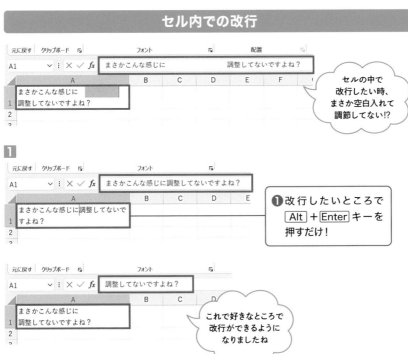

セルの中で改行したい時、まさか空白入れて調節してない!?

❶改行したいところで Alt + Enter キーを押すだけ!

これで好きなところで改行ができるようになりましたね

参照しているセルを一発で探し出す！

入力

Excelでは数式の中でさまざまなセルを参照します。間違えて消去／変更すると、数式が壊れてしまうので、参照先を確認する方法を覚えておきましょう。

Ctrl + Shift ↑ + { [「 。

セルの数式に関わっているセルを参照

1️⃣

	りんご	みかん	
2022/12/12	128	900	1028
2022/12/13	178	850	1028
2022/12/14	200	200	400
合計	506	1950	2456

❶まずは知りたいセルをクリック

> 資料の数字が「この計算はどこのセルを使って計算されている?」と思った時に使いましょう

2️⃣

	りんご	みかん	
2022/12/12	128	900	1028
2022/12/13	178	850	1028
2022/12/14	200	200	400
合計	506	1950	2456

❷Ctrl+Shift+[キーを押すと、この数字に関わるすべてのセルが選択される！

2️⃣

	りんご	みかん	
2022/12/12	128	900	1028
2022/12/13	178	850	1028
2022/12/14	200	200	400
合計	506	1950	2456

❷この数式に直接関わっているセルだけを見たい場合は、❶のあとCtrl+[キーを押してみよう

> 関わっていないセルは削除するなど、表組を整理する時に!

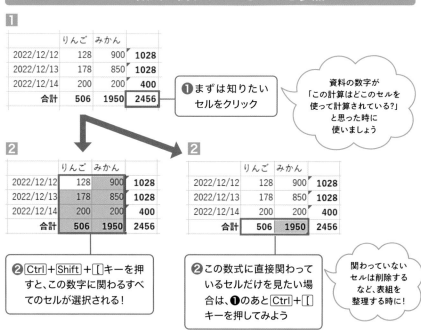

見るだけ図解 33

読めない文字があっても
Excel入力には支障なし！

入力

データの入力時、地名や人名で読めない文字が出てきて苦労したことはありませんか？ 読めない、書けない文字も工夫1つで入力可能です。

IMEパッドで手書き入力

❶パソコン右下の文字入力メニューを右クリックし、「IMEパッド」を選択

❷左上の手描きアイコンをクリックし、マウスで漢字を書くだけ！

少々雑に手書きしても、意外と読み取ってくれるところが好き

わからない言葉はスマート検索！

❶調べたいセルを右クリック→「スマート検索」

❷右側にスマート検索ウィンドウが現れる！

見るだけ
図解
34

文字列を分割・抽出できる魔法
「フラッシュフィル」!

入力

Excelではデータをある一定のルールに従って自動的に分割できます。例えば
氏名の姓と名をセルで分けるなど、便利に使いましょう!

令和時代に
ふさわしい
時短方法を
教えます!

1つのセルから抜き出したい文字列を抽出

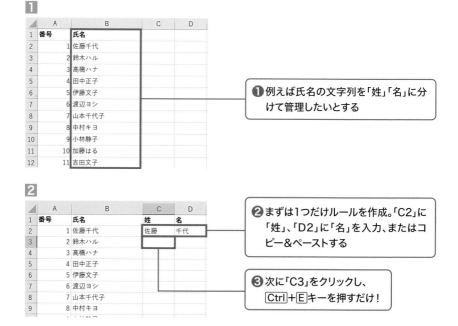

❶ 例えば氏名の文字列を「姓」「名」に分けて管理したいとする

❷ まずは1つだけルールを作成。「C2」に「姓」、「D2」に「名」を入力、またはコピー&ペーストする

❸ 次に「C3」をクリックし、Ctrl+Eキーを押すだけ!

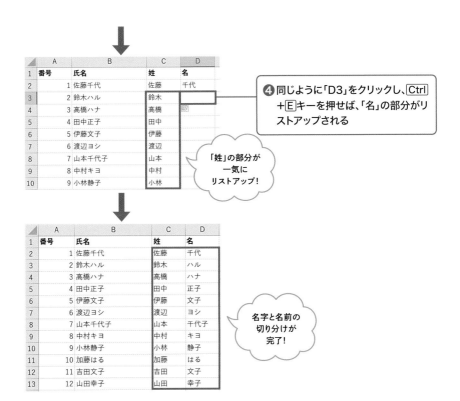

❹同じように「D3」をクリックし、Ctrl ＋Eキーを押せば、「名」の部分がリストアップされる

「姓」の部分が
一気に
リストアップ！

名字と名前の
切り分けが
完了！

他にも…

住所を都道府県／それ以降に分ける

	A	B	C
1	東京都足立区	東京都	足立区
2	東京都荒川区	東京都	荒川区
3	東京都板橋区	東京都	板橋区
4	東京都江戸川区	東京都	江戸川区
5	東京都大田区	東京都	大田区
6	東京都葛飾区	東京都	葛飾区
7	東京都北区	東京都	北区
8	東京都江東区	東京都	江東区

アルファベットを頭文字だけ大文字に

	A	B	C
1	YAMADA	Yamada	
2	TAKAHASHI	Takahashi	
3	TANAKA	Tanaka	
4	KONDO	Kondo	
5	SATONAKA	Satonaka	
6	IWAKI	Iwaki	
7	TONOMA	Tonoma	
8	DOIGAKI	Doigaki	

コンマを取る

	A	B	C
1	1885.12.22	18851222	
2	1888.04.30	18880430	
3	1889.12.24	18891224	
4	1891.05.06	18910506	
5	1892.08.08	18920808	
6	1896.09.18	18960918	
7	1898.01.12	18980112	
8	1898.06.30	18980630	

組み合わせたい情報を好きな文字列へ

	A	B	C
1	YAMADA	1885.12.22	Y-18851222
2	TAKAHASHI	1888.04.30	T-18880430
3	TANAKA	1889.12.24	T-18891224
4	KONDO	1891.05.06	K-18910506
5	SATONAKA	1892.08.08	S-18920808
6	IWAKI	1896.09.18	I-18960918
7	TONOMA	1898.01.12	T-18980112
8	DOIGAKI	1898.06.30	D-18980630

見るだけ
図解
35

検索と置換はExcelの肝！

検索と置換

Excel内の膨大なデータを効率よく管理するためには、検索と置換機能の活用は必須。条件の置換も、機能を組み合わせれば一発です。

検索&置換は
超便利なお助け機能。
1人で頑張ろうとせず、
頼ってください

検索の超基本

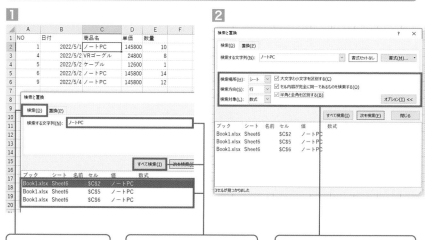

❶ Ctrl + F キーを押すと、「検索と置換」ウィンドウの「検索」が表示

❷検索文字列を入力し、「すべて検索」を押すと、該当する箇所を一覧で見ることができ、クリックでそのセルに飛べる

❸さらに検索時に「オプション」を押すと、大文字と小文字の区別や、シート内だけでなく、ブック全体から文字列の検索が可能

置換の超基本

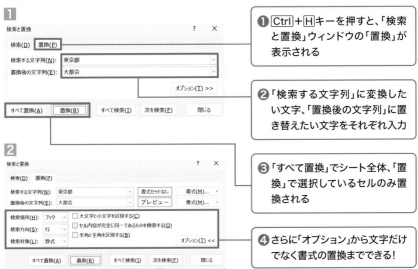

❶ Ctrl + H キーを押すと、「検索と置換」ウィンドウの「置換」が表示される

❷「検索する文字列」に変換したい文字、「置換後の文字列」に置き替えたい文字をそれぞれ入力

❸「すべて置換」でシート全体、「置換」で選択しているセルのみ置換される

❹さらに「オプション」から文字だけでなく書式の置換までできる!

オートフィルター×置換

ある条件のみ置換したい時は、オートフィルターを組み合わせましょう。

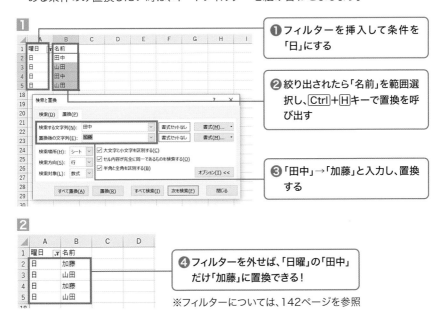

❶フィルターを挿入して条件を「日」にする

❷絞り出されたら「名前」を範囲選択し、Ctrl + H キーで置換を呼び出す

❸「田中」→「加藤」と入力し、置換する

❹フィルターを外せば、「日曜」の「田中」だけ「加藤」に置換できる!

※フィルターについては、142ページを参照

条件を選択して見たいデータにジャンプ

検索と置換

Excelではデータだけでなく、セルの属性やスタイルなど、さまざまな条件での検索が可能です。使いこなして巨大な表を自在に飛び回りましょう。

Ctrl + G き

検索できるデータの種類もさまざま

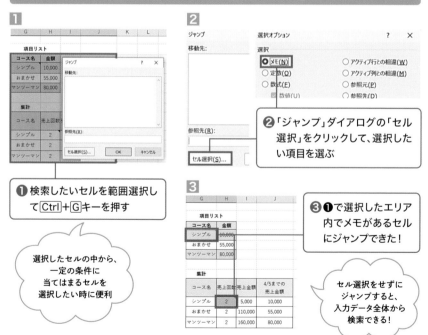

1

❶検索したいセルを範囲選択して Ctrl + G キーを押す

選択したセルの中から、一定の条件に当てはまるセルを選択したい時に便利

2

❷「ジャンプ」ダイアログの「セル選択」をクリックして、選択したい項目を選ぶ

3

❸❶で選択したエリア内でメモがあるセルにジャンプできた！

セル選択をせずにジャンプすると、入力データ全体から検索できる！

見るだけ図解 37

「0」を表示せずに
スッキリ見せる!

デザイン

表の中に「0」が並んでいると、数値的に問題はなくても、ごちゃごちゃして見栄えも悪くなりがちです。書式を使って見えなくしてしまいましょう。

書式設定でセル表示内容をコントロール

1

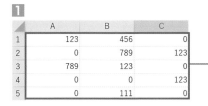

	A	B	C
1	123	456	0
2	0	789	123
3	789	123	0
4	0	0	123
5	0	111	0

❶数値が入っているセル全体を選択し、Ctrl＋1キーを押す(「セルの書式設定」を表示)

2

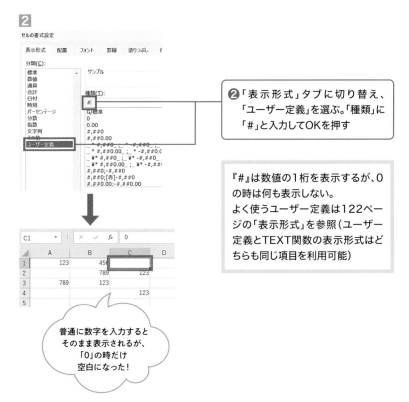

❷「表示形式」タブに切り替え、「ユーザー定義」を選ぶ。「種類」に「#」と入力してOKを押す

『#』は数値の1桁を表示するが、0の時は何も表示しない。
よく使うユーザー定義は122ページの「表示形式」を参照(ユーザー定義とTEXT関数の表示形式はどちらも同じ項目を利用可能)

普通に数字を入力するとそのまま表示されるが、「0」の時だけ空白になった!

大事なデータは 保護をかけて守ろう！

保護

Excelファイルを共有する時、重要なデータは変更できないように保護して渡すのが鉄則。でも、一部だけ編集できるように残すことも可能です。

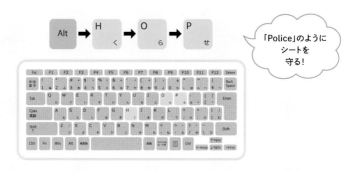

「Police」のように
シートを
守る！

シートの保護

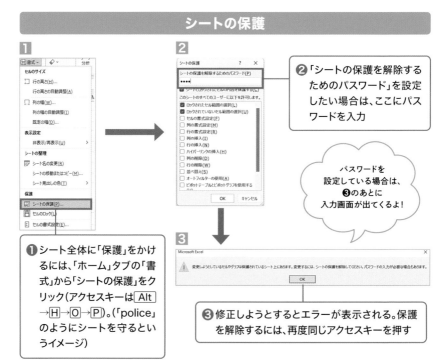

❷「シートの保護を解除するためのパスワード」を設定したい場合は、ここにパスワードを入力

パスワードを
設定している場合は、
❸のあとに
入力画面が出てくるよ！

❶ シート全体に「保護」をかけるには、「ホーム」タブの「書式」から「シートの保護」をクリック（アクセスキーは Alt →H→O→P）。（「police」のようにシートを守るというイメージ）

❸ 修正しようとするとエラーが表示される。保護を解除するには、再度同じアクセスキーを押す

一部のセルのロックを解除

編集可能なセルを残しておきたい時は…

Excelは
すべてのセルに
最初から「ロック」が
かかっている

「セルのロック」アイコンの背景
がグレーということは、ロックが
オンになっているということ

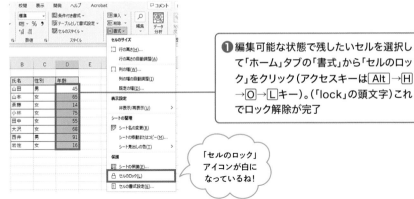

❶ 編集可能な状態で残したいセルを選択し
て「ホーム」タブの「書式」から「セルのロッ
ク」をクリック（アクセスキーは Alt → H
→ O → L キー）。（「lock」の頭文字）これ
でロック解除が完了

「セルのロック」
アイコンが白に
なっているね！

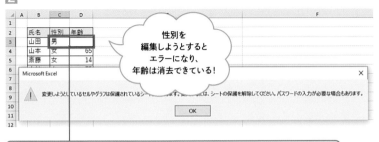

性別を
編集しようとすると
エラーになり、
年齢は消去できている！

❷ あとは64ページの手順でシート全体に保護をかける。すると、ロック解
除したセルは編集でき、他のセルは編集できない設定になった！

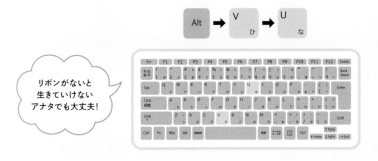

見るだけ図解 39 全画面表示で膨大なデータを一覧

表示

Excelで大きなデータを扱う時は、どんなに画面が広くても広すぎることはありません。限界まで画面を活用できる全画面表示を使いこなしましょう。

Alt → V（ひ） → U（な）

リボンがないと生きていけないアナタでも大丈夫！

全画面表示に切り替え

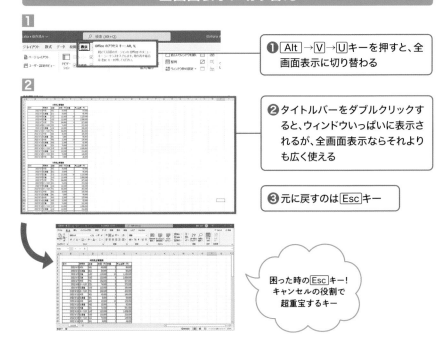

1

❶ Alt → V → U キーを押すと、全画面表示に切り替わる

2

❷ タイトルバーをダブルクリックすると、ウィンドウいっぱいに表示されるが、全画面表示ならそれよりも広く使える

❸ 元に戻すのは Esc キー

困った時の Esc キー！キャンセルの役割で超重宝するキー

66

見るだけ図解 40

行・列の固定で常に見出しを表示！

表示

広い表で作業していると、入力中の項目がなんだったかわからなくなりがち。見出し部分を固定すれば、確認・入力ミスも大幅に減らせます。

見出しの行・列を固定

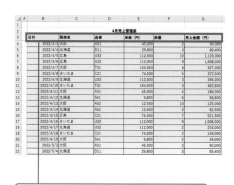

こういった先頭の見出し項目を、スクロールしても消えないようにする！

❶ここから上を固定したい！ という境目の下のセルを選択

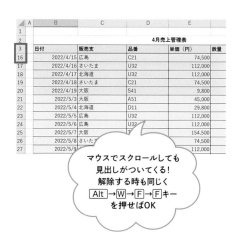

❷「表示」タブの「ウィンドウ枠の固定」ボタンをクリックするか、Alt→W→F→Fキーを押せば固定完了！！

マウスでスクロールしても見出しがついてくる！解除する時も同じくAlt→W→F→Fキーを押せばOK

見るだけ
図解
41

グループ化してスッキリ！
行・列を折りたたむ

表示

大きな表で作業する時、必要な項目以外の行や列を隠せれば、表がスッキリ見やすくなります。こんな時に便利なのが「グループ化」機能です。

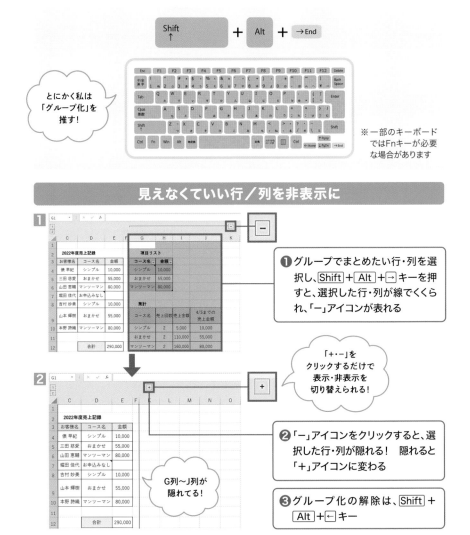

とにかく私は
「グループ化」を
推す！

※ 一部のキーボードではFnキーが必要な場合があります

見えなくていい行／列を非表示に

❶ グループでまとめたい行・列を選択し、Shift + Alt + → キーを押すと、選択した行・列が線でくくられ、「−」アイコンが表れる

「＋・−」を
クリックするだけで
表示・非表示を
切り替えられる！

❷ 「−」アイコンをクリックすると、選択した行・列が隠れる！ 隠れると「＋」アイコンに変わる

G列〜J列が
隠れてる！

❸ グループ化の解除は、Shift + Alt + ← キー

68

見るだけ
図解
42

長い文章も楽々編集！

数式バーの拡大／縮小

表示

セルの中身を表示する「数式バー」は、通常は1行しか表示されません。バーの幅を広げてもっとたくさん表示できるようにしましょう。

Ctrl ＋ Shift ↑ ＋ U な

フットワーク軽く、
切り替えられます

数式バーを閉じる／開く

セルに入力されている
文字列が長いため、
数式バーの表示が
見切れている

1

❶そんな時は Ctrl ＋
Shift ＋ U キーで
展開したり畳んだり
しよう！

セルを結合して タイトルを中央に表示

表示

表組のタイトルなど、中央に表示したいテキストがある場合には、セルの結合が便利。瞬時に結合できるアクセスキーを紹介します。

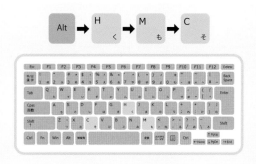

複数セルを一気に結合して中央揃え

	A	B	C	D	E	F
1	担当者一覧					
2	所属	本社			千葉支店	横浜支店
3	担当者	小宮	杜野	西条	有栖川	園田
4	役職	部長	課長	係長	課長	係長

❶結合したいセルを選択し、Alt → H → M → C キーを押す

①タイトルなど並べ替えやフィルターをかけないセルは結合してもOK！
②フィルターをかける可能性のあるセルは結合NG！（次ページ参照）
と覚えておきましょう。

	A	B	C	D	E	F
1	担当者一覧					
2	所属	本社			千葉支店	横浜支店
3	担当者	小宮	杜野	西条	有栖川	園田
4	役職	部長	課長	係長	課長	係長

セルが結合され、配置が中央になった！

セルの結合はちょっと待って！
結合してるように見せる方法 表示

作表時に役立つ「セルの結合」ですが、使い方を間違えると、データを正しく扱えなくなる厄介者。結合せずに見た目だけきれいな表を作りましょう。

セルを結合せず見た目だけ結合

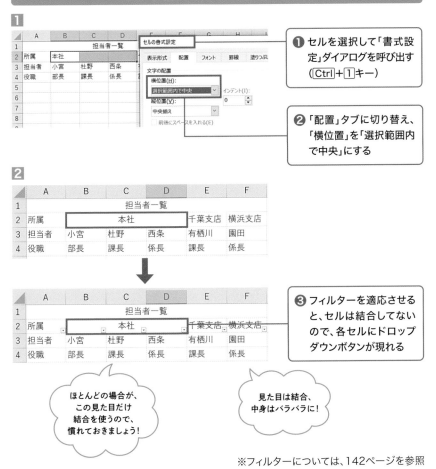

❶ セルを選択して「書式設定」ダイアログを呼び出す（[Ctrl]+[1]キー）

❷ 「配置」タブに切り替え、「横位置」を「選択範囲内で中央」にする

❸ フィルターを適応させると、セルは結合してないので、各セルにドロップダウンボタンが現れる

ほとんどの場合が、この見た目だけ結合を使うので、慣れておきましょう！

見た目は結合、中身はバラバラに！

※フィルターについては、142ページを参照

背景に画像を入れて
わかりやすい資料にする

表示

書類に埋め込む透かし画像など、背景を設定できれば、より見栄えのする書類が作れます。もちろんExcelなら背景の設定も簡単です。

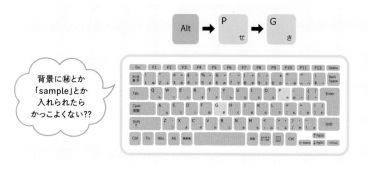

Alt → P せ → G き

背景に㊙とか
「sample」とか
入れられたら
かっこよくない??

背景に画像を設定

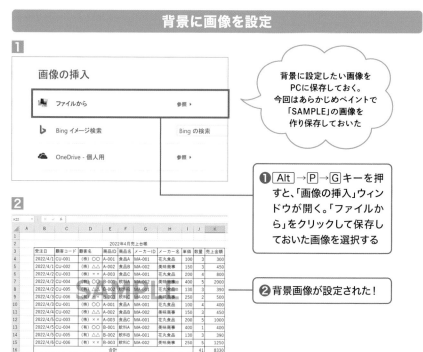

1

画像の挿入

📷 ファイルから　　　　　　　　参照 ▸

ᵇ Bing イメージ検索　　　　　　Bing の検索

☁ OneDrive - 個人用　　　　　　参照 ▸

背景に設定したい画像を
PCに保存しておく。
今回はあらかじめペイントで
「SAMPLE」の画像を
作り保存しておいた

❶ Alt → P → G キーを押
すと、「画像の挿入」ウィン
ドウが開く。「ファイルか
ら」をクリックして保存し
ておいた画像を選択する

2

受注日	顧客コード	顧客名	商品ID	商品名	メーカーID	メーカー名	単価	数量	売上金額
						2022年4月売上台帳			
2022/4/1	CU-001	（株）○○	A-001	食品A	MA-001	花丸食品	100	3	300
2022/4/1	CU-002	（株）△△	A-002	食品B	MA-002	美味商事	150	3	450
2022/4/2	CU-003	（株）××	A-003	食品C	MA-001	花丸食品	200	4	800
2022/4/2	CU-004	（有）○○	B-001	飲料A	MA-002	美味商事	400	5	2000
2022/4/2	CU-005	（有）△△	B-002	飲料B	MA-001	花丸食品	130	3	390
2022/4/3	CU-006	（有）××	B-003	飲料C	MA-002	美味商事	250	2	500
2022/4/3	CU-001	（株）○○	A-001	食品A	MA-001	花丸食品	100	4	400
2022/4/5	CU-002	（株）△△	A-002	食品B	MA-002	美味商事	150	3	450
2022/4/5	CU-003	（株）××	A-003	食品C	MA-001	花丸食品	200	5	1000
2022/4/5	CU-004	（有）○○	B-001	飲料A	MA-002	美味商事	400	1	400
2022/4/5	CU-005	（有）△△	B-002	飲料B	MA-001	花丸食品	130	3	390
2022/4/6	CU-006	（有）××	B-003	飲料C	MA-002	美味商事	250	5	1250
		合計						41	8330

❷ 背景画像が設定された!

見るだけ
図解
46

表を図としてコピーして
配置を自由自在に動かす

表示

Excelでは他のソフトでも扱えるよう、表を画像として書き出す機能があります。
これを覚えておけば、WordやPowerPointでもきれいな表が使えます。

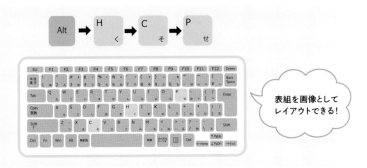

表組を画像として
レイアウトできる！

表を図にして自由に動かす

1

❶ 表を選択し、Alt→H→C→Pキーを
押す。「図のコピー」ダイアログで「ピク
チャ」を選びOKを押す

2

3

❷ Ctrl+Vキーを押して貼り付ければ、
表が画像に早変わり！

❸ 自由に動かせてストレスフリー！

73

見るだけ
図解
47

図を表にリンクさせ
データ更新にも自動対応！

表示

73ページのように表を図にすると、表の内容が変わった時に反映されません。
そこで、図を表とリンクさせることをお勧めします。

図を表とリンク

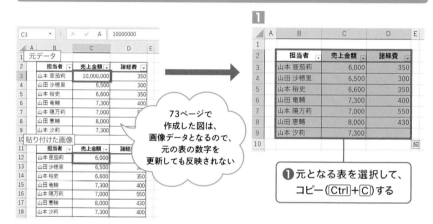

> 73ページで
> 作成した図は、
> 画像データとなるので、
> 元の表の数字を
> 更新しても反映されない

1

❶ 元となる表を選択して、
コピー（[Ctrl]+[C]）する

2

❷「貼り付け」画像の下の矢印
をクリックし、「リンクされた
図」を選択する

3

❸ 元の表と画像がリンクしてるので、表の内容が
変われば貼り付けた画像にも反映される！

74

手早く印刷設定して
印刷範囲も正確に！

出力・印刷

Excelで作った表をきれいに印刷するのは、実はそんなに難しくありません。
印刷範囲の設定や出力方法をマスターしましょう。

Ctrl + P せ

知っていると
いないとでは、
作業速度がずいぶん
違います！

印刷プレビューを確認

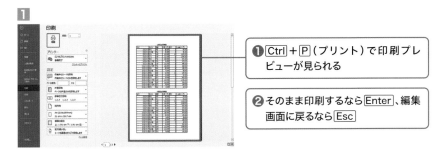

❶ Ctrl + P（プリント）で印刷プレビューが見られる

❷ そのまま印刷するなら Enter 、編集画面に戻るなら Esc

1ページに収めるなら…

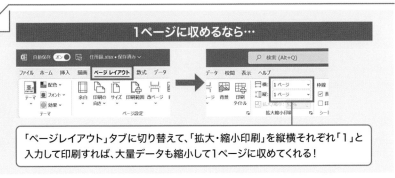

「ページレイアウト」タブに切り替えて、「拡大・縮小印刷」を縦横それぞれ「1」と
入力して印刷すれば、大量データも縮小して1ページに収めてくれる！

ページの切れ目や印刷範囲を自由に設定！

1 ページの境目 →

印刷範囲 →

❶「表示タブ」の改ページプレ
ビューから印刷範囲の設定が
可能（アクセスキーは Alt → W
→ I キー）。青い点線がページ
の境目で、太い青線が印刷範囲
となる

青線より外側の
グレーエリアは
印刷されない

❷点線と太青線をドラッグで動かせば、
印刷範囲を調整できる

❸セットできたら、左上を「標準」に戻す
のを忘れないこと！

印刷時に各ページにタイトルやページ数を付ける

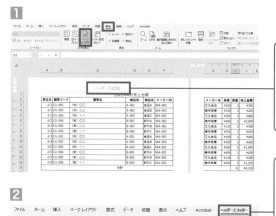

❶ページレイアウトに切り替
えると、「ヘッダーの追加」と
いう文字が現れる（アクセ
スキーは Alt → W → P
キー）

❷ヘッダーの追加枠をクリッ
クすると、上部に「ヘッダー
フッター」タブが降臨！ ここ
からいろいろと設定していく
（77ページ参照）

ヘッダーとフッターで
タイトルやページ数を表示

出力・印刷

印刷した時に何の書類か、どのページかがわからなくならないよう、ヘッダーとフッターで印を付けましょう。自動で全ページに付けてくれるので大助かり！

ヘッダー／フッターの表示

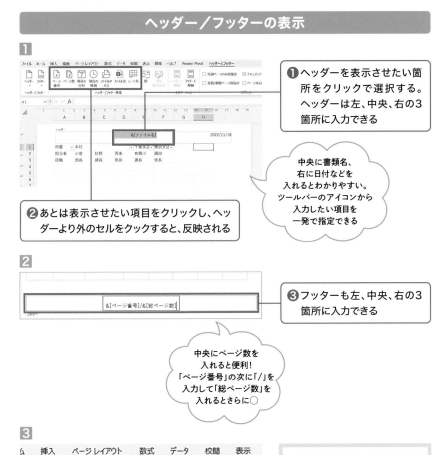

❶ ヘッダーを表示させたい箇所をクリックで選択する。ヘッダーは左、中央、右の3箇所に入力できる

中央に書類名、右に日付などを入れるとわかりやすい。ツールバーのアイコンから入力したい項目を一発で指定できる

❷ あとは表示させたい項目をクリックし、ヘッダーより外のセルをクックすると、反映される

❸ フッターも左、中央、右の3箇所に入力できる

中央にページ数を入れると便利！「ページ番号」の次に「/」を入力して「総ページ数」を入れるとさらに○

フッター／ヘッダーには、現在の時刻やファイルのパス、ファイル名、シート名がクリックするだけで入力できます

見るだけ
図解
50

Excelは**PDF**のほか便利な
形式に出力できる！

出力・印刷

Excelで作った表を、データを修正できない形でネット経由で配布したい場合に役立つのが「PDF」。Excelなら特別なソフトなしにPDFに書き出せます。

Excelの出力方式（PDFで書き出し）

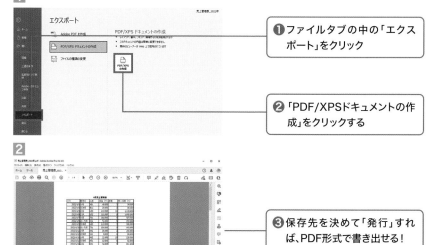

❶ファイルタブの中の「エクスポート」をクリック

❷「PDF/XPSドキュメントの作成」をクリックする

❸保存先を決めて「発行」すれば、PDF形式で書き出せる！

他にもある！　便利な書き出し形式

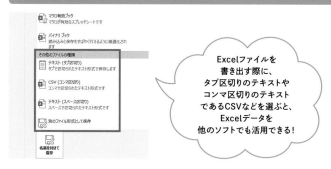

Excelファイルを
書き出す際に、
タブ区切りのテキストや
コンマ区切りのテキスト
であるCSVなどを選ぶと、
Excelデータを
他のソフトでも活用できる！

3章

表組見本付き!
関数の
見るだけ図解

Excel上級者への第一歩！
関数の基本をマスター

関数とはExcelでの計算を簡単に実行できる機能です。「SUM」や「AVERAGE」といった関数と数値を組み合わせると、瞬時に計算できます。

関数の基本ルール

関数は、基本ルールに沿ってセルや数式バーに入力します。6つのルールを見ていきましょう。

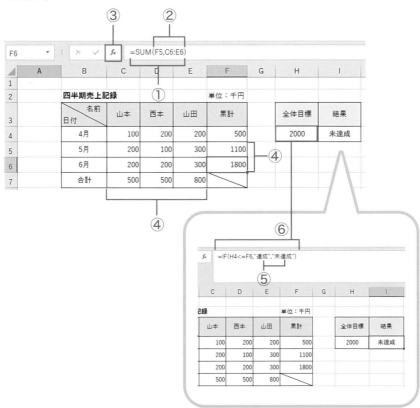

① 式は必ず「=関数名(引数)」

| × | ✓ | fx | =SUM(F5,C6:E6) |

四半期売上記録

日付 ＼ 名前	山本	西本	山田
4月	100	200	200

=SUM(F5,C6:E6)
関数を入力する時、式の先頭には「＝」を入れます。また、1関数につき1つのカッコを使うのがルールです。この()内の内容を引数といいます

② 数式の範囲は「:」「,」で表す！

| × | ✓ | fx | =SUM(F5,C6:E6) |

四半期売上記録

日付 ＼ 名前	山本	西本	山田
4月	100	200	200

=SUM(F5,C6:E6)
C6〜E6など入力したセルの範囲を計算に使うには、連続したセルを「:」で表し、2つ以上のセルの範囲は「,」でつなぎます

③ 関数に迷ったらfxに頼る

「fx」ボタンを押すと「平均、最小、もし」など日本語で関数検索が可能。引数の入力時にはガイドも出てきて便利！

④ オートフィルを活用！

記録			単位：千円
山本	西本	山田	累計
100	200	200	500
200	100	300	1100
200	200	300	1800
500	500	800	

入力した関数セルの右下をドラッグすると、数値だけではなく数式をコピーしてくれます。これがオートフィル！(86ページ参照)

⑤ 文字列は " " でくくる

| × | ✓ | fx | =IF(H4<=F6,"達成","未達成") |

四半期売上記録 単位：千円

日付 ＼ 名前	山本	西本	山田	累計
4月	100	200	200	500

=IF(H4<=F6,"達成","未達成")
「達成」または「未達成」表示したいなど、計算に文字列を使用したい時は、文字列を「" "」でくくります

⑥ セル選択できる箇所は積極的に！

=IF(H4<=F6,"達成","未達成")

単位：千円

本	西本	山田	累計		全体目標	結果
100	200	200	500		2000	未達成

=IF(H4<=F6,"達成","未達成")
「H4」に入力されている数値は「2000」ですが、数値を更新した時に数式も自動で反映されるよう、「2000」と入力せず、セル選択しましょう

関数で計算方法を指定して 最後にまとめてオートフィル！

大量のデータをミスなく計算するには、最初に1つ手本となるセルに関数を入力し、「オートフィル」で一括演算しましょう。

半年間のスマホ使用料

家族の毎月の通信料の傾向をつかむために、半年間の通信料の表を作りました。

	A	B	C	D	E	F
1						
2			半年間のスマホ使用料金			
3			パパ	ママ	太朗	合計
4		1月	¥7,300	¥4,000	¥10,000	
5		2月	¥6,000	¥3,500	¥9,000	
6		3月	¥8,000	¥4,000	¥11,000	
7		4月	¥7,000	¥3,000	¥10,000	
8		5月	¥6,600	¥3,500	¥12,000	
9		6月	¥7,300	¥4,000	¥10,000	
10		合計				**1**
11		平均額				**2**
12		中央値				**3**
13		最頻値				**4**
14		最高額				**5**
15		最低額				**6**
16						

完成！

3章の使い方

3章では、最初に操作のベースとなる表組見本を用意しました。手元のExcelで実際に表組を作成し、操作手順に沿ってセルを埋めてみてください。

	A	B	C	D	E	F
1						
2			半年間のスマホ使用料金			
3			パパ	ママ	太朗	合計
4		1月	¥7,300	¥4,000	¥10,000	¥21,300
5		2月	¥6,000	¥3,500	¥9,000	¥18,500
6		3月	¥8,000	¥4,000	¥11,000	¥23,000
7		4月	¥7,000	¥3,000	¥10,000	¥20,000
8		5月	¥6,600	¥3,500	¥12,000	¥22,100
9		6月	¥7,300	¥4,000	¥10,000	¥21,300
10		合計	¥42,200	¥22,000	¥62,000	¥126,200
11		平均額	¥7,033	¥3,667	¥10,333	¥21,033
12		中央値	¥7,150	¥3,750	¥10,000	¥21,300
13		最頻値	¥7,300	¥4,000	¥10,000	¥21,300
14		最高額	¥8,000	¥4,000	¥12,000	¥23,000
15		最低額	¥6,000	¥3,000	¥9,000	¥18,500
16						

「半年間のスマホ使用料」で使用している関数

1	**SUM**	指定した範囲の合計値を表す関数
2	**AVERAGE**	指定した範囲の平均値を表す関数 例えば「1、4、7、9、11」の平均値は「6.4」
3	**MEDIAN**	指定した範囲の中央値を表す関数 例えば「1、4、7、9、11」の中央値は「7」
4	**MODE**	指定した範囲の最頻値を表す関数 例えば「1、3、3、3、5、5、7」の最頻値は「3」
5	**MAX**	指定した範囲の最大値を表す関数 例えば「1、4、7、9、11」の最大値は「11」
6	**MIN**	指定した範囲の最小値を表す関数 例えば「1、4、7、9、11」の最小値は「1」

1 **SUM** まずは合計額を「SUM」関数で算出しましょう。

目的
合計金額を知りたい

関数
=SUM(C4:E4)
=SUM(C4:C9)

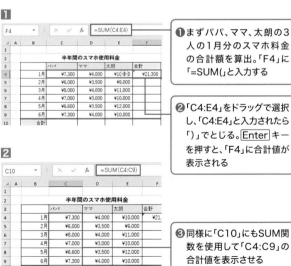

1 まずパパ、ママ、太朗の3人の1月分のスマホ料金の合計額を算出。「F4」に「=SUM(」と入力する

2「C4:E4」をドラッグで選択し、「C4:E4」と入力されたら「)」でとじる。Enter キーを押すと、「F4」に合計値が表示される

3 同様に「C10」にもSUM関数を使用して「C4:C9」の合計値を表示させる

2 **AVERAGE** 「C11」に平均値を「AVERAGE」関数で算出します。

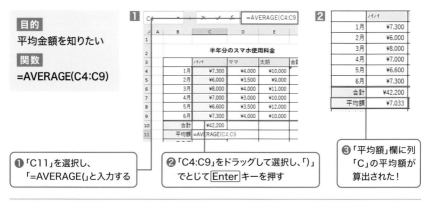

目的
平均金額を知りたい

関数
=AVERAGE(C4:C9)

❶「C11」を選択し、「=AVERAGE(」と入力する

❷「C4:C9」をドラッグして選択し、「)」でとじて Enter キーを押す

❸「平均額」欄に列「C」の平均額が算出された！

---

3 **MEDIAN** 「C12」に中央値を「MEDIAN」関数で算出します。

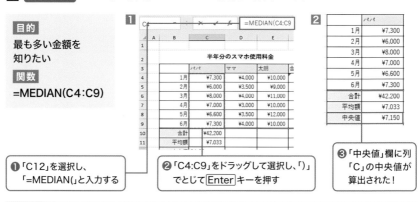

目的
最も多い金額を知りたい

関数
=MEDIAN(C4:C9)

❶「C12」を選択し、「=MEDIAN(」と入力する

❷「C4:C9」をドラッグして選択し、「)」でとじて Enter キーを押す

❸「中央値」欄に列「C」の中央値が算出された！

---

4 **MODE** 「C13」に最頻値を「MODE」関数で算出します

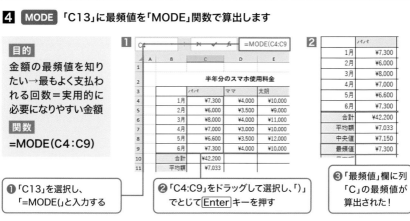

目的
金額の最頻値を知りたい→最もよく支払われる回数＝実用的に必要になりやすい金額

関数
=MODE(C4:C9)

❶「C13」を選択し、「=MODE(」と入力する

❷「C4:C9」をドラッグして選択し、「)」でとじて Enter キーを押す

❸「最頻値」欄に列「C」の最頻値が算出された！

5 **MAX** 「C14」に最大値を「MAX」関数で算出します。

目的
これまで支払った最大の金額を知りたい

関数
=MAX(C4:C9)

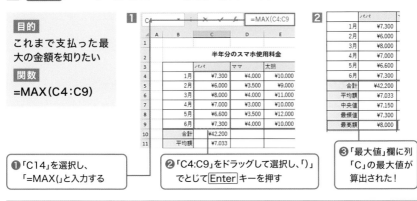

❶「C14」を選択し、「=MAX(」と入力する

❷「C4:C9」をドラッグして選択し、「)」でとじて Enter キーを押す

❸「最大値」欄に列「C」の最大値が算出された!

---

6 **MIN** 「C15」に最小値を「MIN」関数で算出します。

目的
これまで支払った最小の金額を知りたい

関数
=MIN(C4:C9)

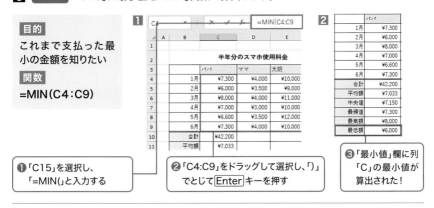

❶「C15」を選択し、「=MIN(」と入力する

❷「C4:C9」をドラッグして選択し、「)」でとじて Enter キーを押す

❸「最小値」欄に列「C」の最小値が算出された!

オートフィル 家族の他のメンバーについても、平均値から最小値までを一気に求めましょう。

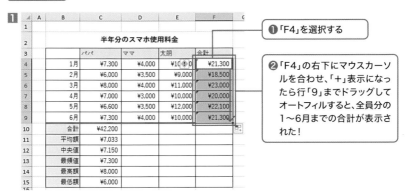

❶「F4」を選択する

❷「F4」の右下にマウスカーソルを合わせ、「+」表示になったら行「9」までドラッグしてオートフィルすると、全員分の1〜6月までの合計が表示された!

	パパ	ママ	太朗	合計
半年分のスマホ使用料金				
1月	¥7,300	¥4,000	¥10,000	¥21,300
2月	¥6,000	¥3,500	¥9,000	¥18,500
3月	¥8,000	¥4,000	¥11,000	¥23,000
4月	¥7,000	¥3,000	¥10,000	¥20,000
5月	¥6,600	¥3,500	¥12,000	¥22,100
6月	¥7,300	¥4,000	¥10,000	¥21,300
合計	¥42,200	¥22,000	¥62,000	¥126,200
平均額	¥7,033	¥3,667	¥10,333	¥21,033
中央値	¥7,150	¥3,750	¥10,000	¥21,300
最頻値	¥7,300	¥4,000	¥10,000	¥21,300
最高額	¥8,000	¥4,000	¥12,000	¥23,000
最低額	¥6,000	¥3,000	¥9,000	¥18,500

❸続いて「C10」〜「C15」を選択し、「F10:F15」まで右方向にオートフィルすると、全員分の平均値から最小値が算出された！

オートフィルとは…

セルに入力されている数値やデータを参考に、値をコピーする機能。セルを選択し、右下をドラッグすると、数値と書式がそのままコピーされる。コピーの後、右下に表示される「オートフィルオプション」をクリックすると、連続データや書式のみ／なしのコピーに変更することもできる。

さらに数式の入ったセルをオートフィルすると、数式ごとコピーされ、引数も自動で更新される！

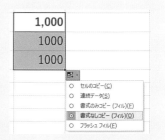

「書式なしコピー」が超便利！

オートフィルで数式と一緒に書式（デザイン）までコピーしてしまうと、罫線などが崩れることもしばしば。オートフィルのたびに書式を直していると、かなりのタイムロスになるので、オートフィルしたら一旦「書式なしコピー」を選択し、書式は入力がすべて終わってから一気に設定をする方が時短になる！

SUM関数のショートカットキー

Shift + Alt + = ほ

オートSUM
といいます

半年間のスマホ使用料金

▲	A	B	C	D	E	F
1						
2			半年間のスマホ使用料金			
3			パパ	ママ	太朗	合計
4		1月	¥7,300	¥4,000	¥10,000	
5		2月	¥6,000	¥3,500	¥9,000	
6		3月	¥8,000	¥4,000	¥11,000	
7		4月	¥7,000	¥3,000	¥10,000	
8		5月	¥6,600	¥3,500	¥12,000	
9		6月	¥7,300	¥4,000	¥10,000	
10		合計				
11		平均額				

❶「C4：F10」を選択し
て Shift + Alt + =
を押して Enter キー
を押すだけ

▲	A	B	C	D	E	F
1						
2			半年間のスマホ使用料金			
3			パパ	ママ	太朗	合計
4		1月	¥7,300	¥4,000	¥10,000	¥21,300
5		2月	¥6,000	¥3,500	¥9,000	¥18,500
6		3月	¥8,000	¥4,000	¥11,000	¥23,000
7		4月	¥7,000	¥3,000	¥10,000	¥20,000
8		5月	¥6,600	¥3,500	¥12,000	¥22,100
9		6月	¥7,300	¥4,000	¥10,000	¥21,300
10		合計	¥42,200	¥22,000	¥62,000	¥126,200
11		平均額				

数式入力→
オートフィルの
一連の流れが
一気に省けるね!!

空白のセルにSUM関数が自動で入り、引数として隣接している
セルが入る。
自動で引数が選択されるので、間違った範囲になっていないかの
確認は必要だが、超時短間違いなしのショートカット！

見るだけ図解 53

条件による自動振り分けで
データ管理を効率化！

Excelはある条件に当てはまるか当てはまらないか、一定の数値や桁数からの切り上げ／切り捨てなど、自動的にデータを判別し、振り分けてくれます。それによって、効率よく膨大なデータを管理できるのです。

昇進試験結果の管理表を作成

ここでは昇進試験の管理用の表を作成してみます。試験は筆記試験と面接の合計点で、得点が160点以上であれば合格です。点数を入力すると合否が判定され、得点に応じたボーナスを算出するほか、合格率などを確認できるように作ってみましょう。

A	B	C	D	E	F
1					
2	昇級試験結果				
3	名前	筆記	面接	合計得点	評価
4	竹本 航也	90	90		
5	山本 亜茄莉	-	-		
6	西本 実央	70	80		
7					
8	受験予定人数				
9	実際の受験人数				
10	受験率（％）				
11	受験率（整数）（％）				
12	受験率（％）（小数点第2位を四捨五入）				
13	受験率（％）（小数点第2位を切り上げ）				
14	受験率（％）（小数点第2位を切り捨て）				

1 **2** **3** **4**

「昇進試結果の管理表」に使われている関数

1	IF	**条件を満たすかを判定する** **=IF(論理式,真の場合,偽の場合)** 値または数式が条件を満たしているかどうかを判定する
2	COUNTA COUNT	**セルを数える（文字or数値）** **=COUNTA(値1,[値2],…)** 範囲に含まれる空白ではないセルの個数を数える **=COUNT(値1,[値2],…)** 数値を含むセルの個数などを数える
3	INT	**整数として表示する** **=INT(数値)** 指定された数値を最も近い整数に切り捨てる
4	ROUND ROUNDUP ROUNDDOWN	**四捨五入、切り上げ、切り捨て** **=ROUND(数値,桁数)** 数値を四捨五入して指定された桁数にする **=ROUNDUP(数値,桁数)** 数値を指定された桁数で切り上げる **=ROUNDDOWN(数値,桁数)** 数値を指定された桁数に切り捨てる

最初に「E4」に「SUM」関数を使用して「C4:D4」の合計得点を入力しましょう。

1

❶「E4」に数式を入力する。
=SUM(C4:D4)
合計点の「180」と返ってきたらOK！

2

❷「E5：E6」にオートフィルでコピーし、それぞれの合計得点が表示されたらOK！
「E5」は記録なしなので「0」となる

1 **IF** 続いて、列「F」に「IF」関数を使って合否を表示させていきます。列「E」の合計得点が160点以上で「合格」、それ以外は「不合格」とします。

目的 得点に合わせて表示内容を変えたい

条件 列「E」が160点以上の時：「合格」　それ以外の時：「不合格」

関数 =IF(E4>=160,"合格","不合格")

条件 ── 「偽」の時に表示したいこと
「真」の時に表示したいこと

★条件は、比較演算子を使って入力していこう

比較演算子

A>B	BよりAが大きい時
A<B	AよりBが大きい時
A>=B	AがB以上の時
A<=B	BがA以上の時
A=B	AとBが等しい時
A<>B	AとBが等しくない時

1

| F4 | ▼ | : | × | ✓ | fx | =IF(E4>=160,"合格","不合格") |

◢	A	B	C	D	E	F
1						
2		昇級試験結果				
3		名前	筆記	面接	合計得点	評価
4		竹本 航也	90	90	180	合格
5		山本 亜茄莉	-	-	0	
6		西本 実央	70	80	150	

❶「F4」に数式を入力する。**=IF(E4>=160,"合格","不合格")**
「E4」は180点で、条件の160以上に該当するので「真」が適用され、「合格」と返ってくる

2

◢	A	B	C	D	E	F
1						
2		昇級試験結果				
3		名前	筆記	面接	合計得点	評価
4		竹本 航也	90	90	180	合格
5		山本 亜茄莉	-	-	0	不合格
6		西本 実央	70	80	150	不合格

❷「F5:F6」にオートフィルでコピーする。どちらも「160点以上」ではないので「偽」となり、「不合格」が返ってくる

COUNTA **COUNT**

続いて「COUNTA」関数を使用して「C8」に「受験予定人数」、「COUNT」関数を使用して
「C9」に「実際の受験人数」を出していきます。

「C8」

目的 名簿に載っている名前を数えたい

条件 「B4:B6」に入力がある

関数 =COUNTA(B4:B6)
　　　　　　　　検索するエリア

「C9」

目的 数値が入力されているセルを数えたい

条件 「C4:C6」に入力がある
　　　　※「-」は未受験とする

関数 =COUNT(C4:C6)
　　　　　　　　検索するエリア

1

| C8 | ▼ | : | × | ✓ | fx | =COUNTA(B4:B6) |

◢	A	B	C	D
1				
2		昇級試験結果		
3		名前	筆記	面接
4		竹本 航也	90	90
5		山本 亜茄莉	-	-
6		西本 実央	70	80
7				
8		受験予定人数	3	

❶「C8」に数式を入力する。
　　=COUNTA(B4:B6)
　　セルに何かしら文字が入っている
　　個数を数えるので「3」と返ってくる

2

| C9 | ▼ | : | × | ✓ | fx | =COUNT(C4:C6) |

◢	A	B	C	D
1				
2		昇級試験結果		
3		名前	筆記	面接
4		竹本 航也	90	90
5		山本 亜茄莉	-	-
6		西本 実央	70	80
7				
8		受験予定人数	3	
9		実際の受験人数	2	

❷同じように「C9」に数式を入力する。
　　=COUNT(C4:C6)
　　セルに数値が入っている個数を数えるので
　　「2」と返ってくる

続いて「C10」に受験率を出します。

1

| C10 | ▼ | : | × | ✓ | fx | =C9/C8*100 |

◢	A	B	C	面
1				
2		昇級試験結果		
3		名前	筆記	面
4		竹本 航也	90	90
5		山本 亜茄莉	-	-
6		西本 実央	70	80
7				
8		受験予定人数	3	
9		実際の受験人数	2	
10		受験率（%）	66.666667	

「/」は割り算、
「*」は掛け算を
意味するよ！

❶「C10」に式を入力する。
　　=C9/C8*100

小数点以下が
長い…！

3 `INT` 小数点以下が長いので、受験率を「INT」関数で「整数」にしたものを「C11」に表示します。

目的 受験率を出し、「整数」に丸めたい

関数 =INT(C10)

整数にしたいセル（または数値）

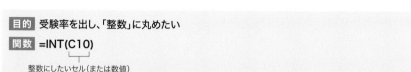

❶ 「C11」に式を入力する。
=INT(C10)
小数点以下が切り捨てられ「66」
となる。

---

4 `ROUND` `ROUNDUP` `ROUNDDOWN`

今度は「C10」を小数点第1位までの表示にしてみましょう。小数点第2位を「四捨五入・切り上げ・切り捨て」の3パターン作ってみます。

目的 受験率を小数点第1位までの表示にしたい

条件 受験率を参照し、小数点以下を1桁にする

関数 「C12」=ROUND(C10,1) 「C13」=ROUNDUP(C10,1)
「C14」=ROUNDDOWN(C10,1)

丸めたいセル　桁数
（または数値）（小数点何位まで表示するのか）

※桁数は以下の表を参考にしてください。

計算されるセル					
-3	-2	-1	0	1	2
100の位 （1000の倍数）	10の位 （100の倍数）	1の位 （10の倍数）	小数点第1位 （整数にする）	小数点第2位 （小数点第1位 まで表示）	小数点第3位 （小数点第2位 まで表示）

7		
8	受験予定人数	3
9	実際の受験人数	2
10	受験率（%）	66.666667
11	受験率（整数）（%）	66
12	受験率（%） （小数点第2位を四捨五入）	66.7
13	受験率（%） （小数点第2位を切り上げ）	66.7
14	受験率（%） （小数点第2位を切り捨て）	66.6

❶「C12:C14」にそれぞれ式を入力する。
「C12」=ROUND(C10,1)
「C13」=ROUNDUP(C10,1)
「C14」=ROUNDDOWN(C10,1)
小数点第2位で判定され、小数点以下が1桁に丸められる

「ROUNDDOWN」と
「INT」の違いは
桁数を
指定できること！

これで「昇給試験結果の管理表」は完成！

	A	B	C	D	E	F
1						
2		昇級試験結果				
3		名前	筆記	面接	合計得点	評価
4		竹本 航也	90	90	180	合格
5		山本 亜茄莉	-	-	0	不合格
6		西本 実央	70	80	150	不合格
7						
8		受験予定人数	3			
9		実際の受験人数	2			
10		受験率（%）	66.666667			
11		受験率（整数）（%）	66			
12		受験率（%） （小数点第2位を四捨五入）	66.7			
13		受験率（%） （小数点第2位を切り上げ）	66.7			
14		受験率（%） （小数点第2位を切り捨て）	66.6			

これで完成！
あとはこの部分の数値を自由に変えてみよう。
点数に合わせた結果が返ってきたらOK！
思った結果が返ってこない時は比較演算子の「不等号の向き」が合っているかもう一度確認してみよう！

コピーやオートフィルした時に
選択範囲がずれるのを防ぐ!

Excelでは、関数の中でセルを指定することを「参照」と呼びますが、この「参照」にも「相対参照」「絶対参照」「複合参照」という種類があります。
よくあるのが、「オートフィルしたら思っていたのと違うセルを参照してしまった」というケース。このような問題を解決するために使用するのが「$」マーク。セルの間に挟むことで、参照方法を自由自在に変えることができます。

「絶対参照」を理解しよう

下の表組みの「D3:D5」に日にちごとの給料を入力したいとします。計算は「時給×時間」とし、オートフィルでコピーします。オートフィルをした時のセルの動きに注目して、「絶対参照」の使い方をマスターしましょう。

まずは間違った例から!

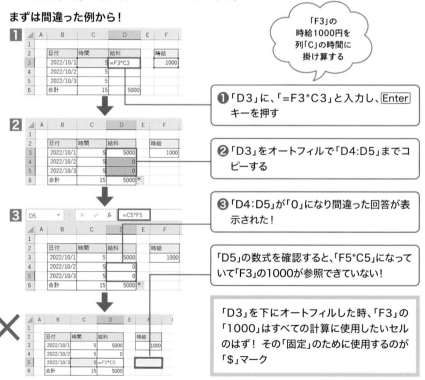

94

正しい入力方法はこれ！

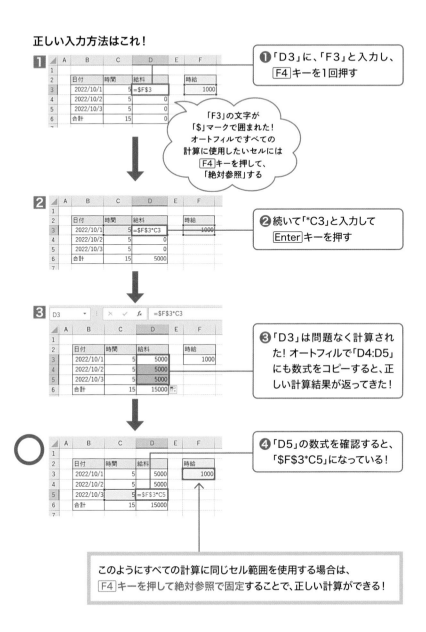

❶「D3」に、「F3」と入力し、F4 キーを1回押す

「F3」の文字が「$」マークで囲まれた！オートフィルですべての計算に使用したいセルには F4 キーを押して、「絶対参照」する

❷ 続いて「*C3」と入力して Enter キーを押す

❸「D3」は問題なく計算された！オートフィルで「D4:D5」にも数式をコピーすると、正しい計算結果が返ってきた！

❹「D5」の数式を確認すると、「$F$3*C5」になっている！

このようにすべての計算に同じセル範囲を使用する場合は、F4 キーを押して絶対参照で固定することで、正しい計算ができる！

参照には3つの種類がある！

　F4キーを押す回数で「$」の位置が変わり、参照方法（固定される内容）を変えることができます。実際にF4キーを押した回数に合わせて「$」の位置がどのように変化するかを見ていきましょう。

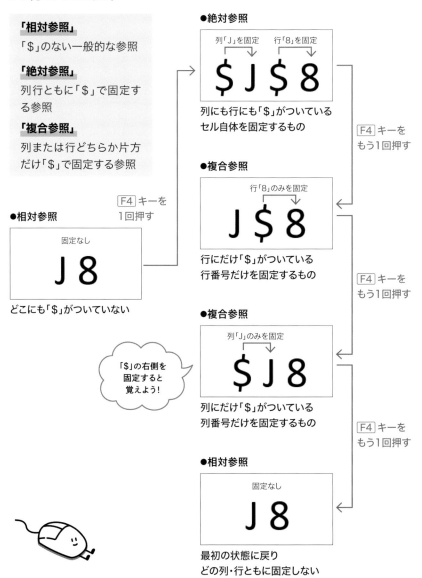

「相対参照」
「$」のない一般的な参照

「絶対参照」
列行ともに「$」で固定する参照

「複合参照」
列または行どちらか片方だけ「$」で固定する参照

●相対参照
固定なし
J 8
どこにも「$」がついていない

F4キーを
1回押す

「$」の右側を
固定すると
覚えよう！

●絶対参照
列「J」を固定　行「8」を固定
$ J $ 8
列にも行にも「$」がついている
セル自体を固定するもの

F4キーを
もう1回押す

●複合参照
行「8」のみを固定
J $ 8
行にだけ「$」がついている
行番号だけを固定するもの

F4キーを
もう1回押す

●複合参照
列「J」のみを固定
$ J 8
列にだけ「$」がついている
列番号だけを固定するもの

F4キーを
もう1回押す

●相対参照
固定なし
J 8
最初の状態に戻り
どの列・行ともに固定しない

「複合参照」を理解するために、九九の表を作ってみよう！

1

❶「B2」に「**=A2*B1**」と入力

❷ Ctrl + Enter キーで確定し、「B2」を「B3:B10」にオートフィル

1の段の答えが違う！ オートフィルする際に参照したいセルを固定していなかったのでセルがずれてしまった！

=A2*B\$1

2

❸「B2」を選択し、数式バーで式を修正する。「B1」をドラッグで選択し、F4 キーを2回押す（行「1」を固定）

❹ Ctrl + Enter キーで修正を確定し、「B2」を「B3:B10」にオートフィル

1の段が完成！

3

❺同じようにコピーしたいので「B2:B10」を選択した状態で列「J」まで右にオートフィル

また答えが違う！

=\$A2*B1

4

❻「B2」を選択し、数式バーで式を修正する。「A2」をドラッグで選択し F4 キーを3回押す（列「A」を固定）

❼ Ctrl + Enter キーで修正を確定。「B2」を「B3:B10」にオートフィルしたあと、「B2:B10」を列「J」まで右にオートフィル

これで完成！

セル丸ごと固定したい時は「絶対参照」。九九のように半分だけ（列や行だけ）固定したい時は「複合参照」。この使い分けができるようになると格段にスピードが上がり、資料の計算間違いも減る！

「参照」を完全に体にしみ込ませることで、1ランク上のコピー＆ペーストができ、確実に時間短縮できるようになります。

　まず94〜96ページで「＄」の位置に注目し、この「＄」が何を意味しているのか、理屈をしっかりとインプットしました。理解ができたら、次はアウトプット！

　ここからは「絶対参照」「複合参照」を使用することの多い抽出・集計にまつわる関数を紹介していきます。実際に操作しながら「関数」×「参照」をしっかりとアウトプットしていきましょう。

「2022年度売上記録」を作成！

　これはある英会話コースの売上を記録した表です。列「D」の「コース名」に対する「金額」を、リストから自動で反映されるようにしていきます。また、コース別の売上回数や売上金額の集計も行っていきます。

	A	B	C	D	E	F	G	H	I	J
1										
2			2022年度売上記録				項目リスト			
3		お申込日	お客様名	コース名	金額		コース名	金額		
4		2022/4/1	俵 早紀	シンプル			シンプル	10,000		
5		2022/4/3	三田 慈愛	おまかせ			おまかせ	55,000		
6		2022/4/5	山田 恵輔	マンツーマン			マンツーマン	80,000		
7		2022/4/6	堀田 佳代	お申込みなし						
8		2022/4/7	吉村 妙美	シンプル			集計			
9		2022/4/8	山本 輝樹	お任せ			コース名	売上回数	売上金額	4/5までの売上金額
10		2022/4/10	本野 詩織	マンツーマン			シンプル			
11							おまかせ			
12				合計			マンツーマン			
13										

1 **2** **3** **4**

2022年度売上記録で使用している関数

1	**VLOOKUP**	**リストから検索** **=VLOOKUP(検索値,参照値を含む範囲,戻り値を含む範囲内の列** **番号,近似一致(TRUE)または完全一致(FALSE))** 関数を使用して、表や範囲から行ごとに情報を検索する
2	**IFERROR**	**エラー表示をなくす** **=IFERROR(値,エラーの場合の値)** 数式がエラーに評価される場合に指定した値を返す
3	**COUNTIFS**	**条件を満たすセルの個数を数える** **=COUNTIFS(条件範囲1,検索条件1,[条件範囲2,検索条件2],…)** 検索条件に一致するセルの個数を返す(複数条件可)
4	**SUMIFS**	**条件を満たすセルを合計する** **=SUMIFS(合計対象範囲,条件範囲1,条件1,[条件範囲2,条件2],…..)** 検索条件に一致するセルの合計対象範囲を合計する(複数条件可)

1 **VLOOKUP** 販売した日にちと品目、数量を記入した表（販売記録）があります。ここに単価を、別に用意した品目リストを参照して加えていきます。

目的 項目リストを参照して列「D」のコース名に対応する金額を列「E」に自動反映させる

関数 =VLOOKUP(D4,$G$4:$H$6,2,0)

❶検索したい項目　❷検索範囲　　　❹完全一致(0)or近似一致(1)
　　　　　　　　　❸検索範囲の内、返したい「列」番号

▲	A	B	C	D	E	F	G	H	I	J
1										
2			**2022年度売上記録❶**				**❷ 項目リスト**			
3		お申込日	お客様名	コース名	金額		コース名	金額		
4		2022/4/1	俵 早紀	シンプル			シンプル	10,000		
5		2022/4/3	三田 慈愛	おまかせ			おまかせ	55,000		
6		2022/4/5	山田 恵輔	マンツーマン			マンツーマン	80,000		
7		2022/4/6	堀田 佳代	お申込みなし			❸ 1列目	2列目		
8		2022/4/7	吉村 妙美	シンプル			集計			
9		2022/4/8	山本 輝樹	お任せ			コース名	売上回数	売上金額	4/5までの売上金額
10		2022/4/10	本野 詩織	マンツーマン			シンプル			
11							おまかせ			
12				合計			マンツーマン			

VLOOKUPの
検索範囲を
プルダウンリストにすると
入力ミスが減る！
140ページを参照

VLOOKUP関数のPOINT!

❷で検索範囲として選択するリストは
「一番左端の列に、検索値の項目がくるように」選択する

今回の目的は…
(1)上記録に記載されている「コース名」を
(2)「項目リスト」の中から検索し
(3)該当する品目の「金額」を結果として返したい
なので…
❷の選択範囲の一番左端(1列目)には、検索したい項目(今回であれば❶
「コース名」)が来るように範囲選択する必要がある

❸の列番号は、❷で選択した範囲の中で、「何列目」を結果として返したいのか、
その列番号を入力する

今回は「金額」を返したいので、「2」と入力

❹の検索方法は、「0(完全一致)」と「1(近似一致)」の2種類がある
●使い分け
「1(近似一致)」：重さの幅に応じて金額が決まっているような、範囲に応じた
　　　　　　　　結果を表示する場合
「0(完全一致)」：今回のように幅を持たせない、一般的な検索。
　　　　　　　　ほとんどの場合に「0」を選択して問題ない！

1

① 「E4」に数式を入力する
=VLOOKUP(D4,$G$4:$H$6,2,0)
検索範囲を選択する際は、下にオートフィルすることを想定して、「G4:H6」を選択したら「F4」を1回押して絶対参照で固定する。
「D4（シンプル）」を「G4:H6（項目リスト）」の範囲で検索し、「2（金額）」列目を返すという式 なので、「10,000」と返ってくる

「$G$4:$H$6」→「G4:H6」のすべてが絶対参照されたという意味になる！

2

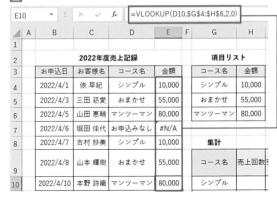

② 「E4」を「E5:E10」にオートフィルでコピーする。すべてのコース名に「金額」が反映されたらOK！

「E7」がエラーになっているのは、この後修正していくのでそのままで問題なし

もしその他のセルがエラーになっていたら
エラーになっているセルをダブルクリックして引数を確認しよう！

● 検索範囲がずれていない？
● 「E4」の数式入力時に検索範囲を絶対参照した？
● 列番号は合っている？

間違いが見つかったら、エラーセルを修正するのではなく
コピー元の「E4」を修正して、もう一度オートフィルしてみよう！

合計値を入力

「E12」に金額の合計を、3章の冒頭で解説したSUM関数を使用して入力しましょう。

❶「E12」に数式を入力
=SUM(E4:E10)
すると計算がエラーになって返ってくる。
これは、「E7」がエラー表示になっているため計算できないから。これを解決するためにエラー処理をしていこう

2 **IFERROR**　項目リストで「お申込なし」という項目は記載がないため、「E7」にエラーが
表示されました。このエラーという文字を、「IFERROR」関数を使って「空
白」に変える処理を加えていきます。

目的 エラーの時は「空白」を表示したい

空白は""と
入力する

関数 =IFERROR(VLOOKUP(D4,$G$4:$H$6,2,0),"")

この値がエラーだった時に　　表示したい内容を入力

1

❶「E4」をダブルクリックして数式を編集
する。
**=IFERROR(VLOOKUP(D4,
$G$4:$H$6,2,0),"")**
エラー処理をしたい値は元の数式である
「VLOOKUP(D4,$G$4:$H$6,2,0)」
なので、これが引数になるように前後に
入力する。
「VLOOKUP(D4,$G$4:$H$6,2,0)」
がエラーだった時には「空白」にすると
いう式。「E4」はエラーではないので、
「10,000」が表示される

2

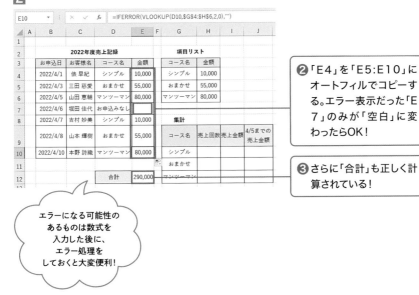

❷「E4」を「E5:E10」に
オートフィルでコピーす
る。エラー表示だった「E
7」のみが「空白」に変
わったらOK！

❸さらに「合計」も正しく計
算されている！

エラーになる可能性の
あるものは数式を
入力した後に、
エラー処理を
しておくと大変便利！

3 **COUNTIFS** 売上記録を元に、「H10」に「コース名」ごとの売上回数の合計を「COUNTIFS」関数を使って入力していきます。

目的 「H10」に「シンプル」コースの個数を表示したい

条件 「シンプル」

関数 =COUNTIFS($D$4:$D$10,G10)
❶条件の検索範囲(この中から)　❷条件(これの数を数える)

1

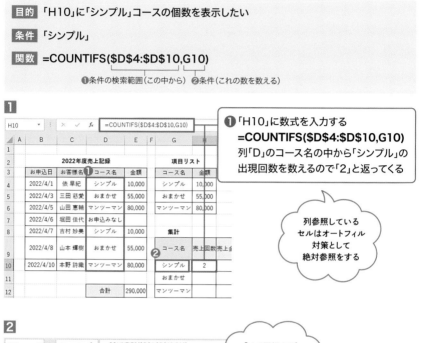

❶「H10」に数式を入力する
=COUNTIFS($D$4:$D$10,G10)
列「D」のコース名の中から「シンプル」の出現回数を数えるので「2」と返ってくる

列参照している
セルはオートフィル
対策として
絶対参照をする

2

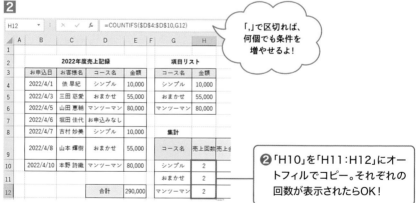

「,」で区切れば、
何個でも条件を
増やせるよ!

❷「H10」を「H11:H12」にオートフィルでコピー。それぞれの回数が表示されたらOK!

4 **SUMIFS** 同じように「I10」に「コース名」ごとの売上金額の合計を「SUMIFS」関数を使って入力していきます。

目的 「I10」に「シンプル」コースだけの売上金額の合計を表示したい

条件 「シンプル」

関数 =SUMIFS($E$4:$E$10,$D$4:$D$10,G10)

❶合計したい範囲（ここを合計する）　　❸条件（これを検索する）
❷条件の検索範囲（この中から）

1

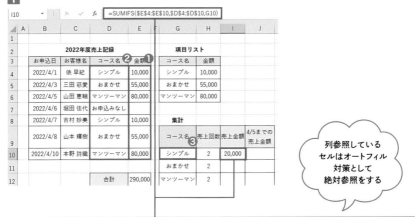

❶「I10」に数式を入力する。**=SUMIFS($E$4:$E$10,$D$4:$D$10,G10)**
列「D」のコース名の中から「シンプル」だけの「金額」の合計値を返すので「20,000」と返ってくる

列参照しているセルはオートフィル対策として絶対参照をする

2

❷「I10」を「H11:H12」にオートフィルでコピー。それぞれの「金額」の合計値が表示されたらOK!

最後に「J10」に「コース名」ごとの「2022/4/5まで」の売上金額の合計を「SUMIFS」関数を使って入力していきます。

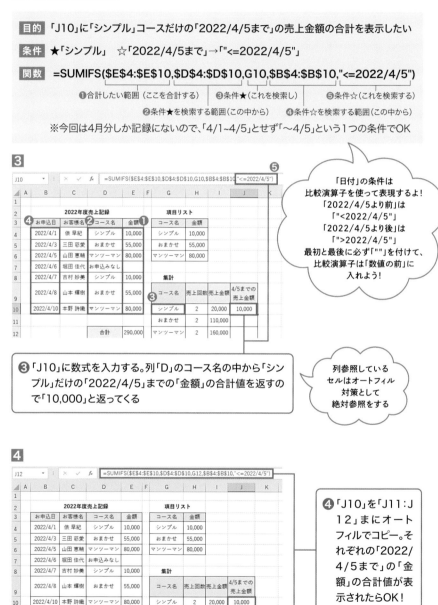

目的 「J10」に「シンプル」コースだけの「2022/4/5まで」の売上金額の合計を表示したい

条件 ★「シンプル」　☆「2022/4/5まで」→「"<=2022/4/5"」

関数 =SUMIFS($E$4:$E$10,$D$4:$D$10,G10,$B$4:$B$10,"<=2022/4/5")

❶合計したい範囲（ここを合計する）　　❸条件★（これを検索し）　　❺条件☆（これを検索する）
❷条件★を検索する範囲（この中から）　　❹条件☆を検索する範囲（この中から）

※今回は4月分しか記録にないので、「4/1~4/5」とせず「〜4/5」という1つの条件でOK

3

「日付」の条件は
比較演算子を使って表現するよ！
「2022/4/5より前」は
「"<2022/4/5"」
「2022/4/5より後」は
「">2022/4/5"」
最初と最後に必ず「""」を付けて、
比較演算子は「数値の前」に
入れよう！

❸「J10」に数式を入力する。列「D」のコース名の中から「シンプル」だけの「2022/4/5」までの「金額」の合計値を返すので「10,000」と返ってくる

列参照している
セルはオートフィル
対策として
絶対参照をする

4

❹「J10」を「J11:J12」までにオートフィルでコピー。それぞれの「2022/4/5まで」の「金額」の合計値が表示されたらOK！

106

これで「2022年度売上記録」が完成！

	A	B	C	D	E	F	G	H	I	J
1										
2		___ 2022年度売上記録					項目リスト			
3		お申込日	お客様名	コース名	金額		コース名	金額		
4		2022/4/1	俵 早紀	シンプル	10,000		シンプル	10,000		
5		2022/4/3	三田 慈愛	おまかせ	55,000		おまかせ	55,000		
6		2022/4/5	山田 恵輔	マンツーマン	80,000		マンツーマン	80,000		
7		2022/4/6	堀田 佳代	お申込みなし						
8		2022/4/7	吉村 妙美	シンプル	10,000		集計			
9		2022/4/8	山本 輝樹	おまかせ	55,000		コース名	売上回数	売上金額	4/5までの売上金額
10		2022/4/10	本野 詩織	マンツーマン	80,000		シンプル	2	20,000	10,000
11							おまかせ	2	110,000	55,000
12				合計	290,000		マンツーマン	2	160,000	80,000

これで完成！
コース名を自由に変えてみよう！ 金額や集計の回数が自動で変わればOK。エラーが出たら、エラーになったセルの数式を確認してみよう！
列参照しているところはすべて「絶対参照」ができている？
日付の条件の不等号の向きは合っている？

見るだけ
図解
55

"関数×関数"の組み合わせで 複雑なデータ管理も簡単に!

関数は単独で使うだけでなく、ある関数の結果を別の関数の引数として利用することもできます。こうして入れ子状に関数を組み合わせて使うことで、単独の関数では不可能だった複雑な処理が可能になるのです。

「名簿データベース」を作成!

名前、性別、年齢が入っている表を使って条件に合わせ、真偽を判定していきます。また、郵便番号と住所を文字の一部を抜き出してみます。

	A	B	C	D	E	F	G
1							
2		名前	性別	年齢	男 かつ 20歳以上	男 もしくは 20歳以上	男 ではない
3		裕史	男	45			
4		優帆	女	65			
5		陽万莉	女	14			
6		詩織	女	75			**1**
7		汐莉	女	11			
8		なつ美	女	68			
9		拓也	男	19			
10							
11		郵便番号	左3桁	右4桁	左2桁〜4桁		
12		100-0001 **2**			**3**		
13		100-0002					
14		100-0003					
15							
16		住所	全文字数	"都"までの 文字数	都道府県名	それ以降	
17		東京都千代田区千代田					
18		東京都千代田区皇居外苑					
19		東京都千代田区一ツ橋					

4　　**5**　　**2 4 5**

108

1 | AND OR NOT |

AND：複数の条件をすべて満たすか判定
=AND(論理式1,[論理式2],…)
すべての引数がTRUEと評価された場合はTRUEを返し、1つ以上の引数がFALSEと評価された場合はFALSEを返す。日本語にすれば「かつ」。

OR：複数の条件のうち1つでも満たすか判定
=OR(論理式1,[論理式2],…)
いずれかの引数がTRUEと評価された場合はTRUEを返し、すべての引数がFALSEと評価された場合はFALSEを返す

NOT：条件を否定し満たすかを判定
=NOT(論理値)
引数の値を反転させる

2 | LEFT RIGHT |

文字の抜き出し(左または右から)
=LEFT(文字列,[文字数])
文字列の先頭から指定された数の文字を返す

=RIGHT(文字列,[文字数])
文字列の末尾(右端)から指定された文字数の文字を返す

3 | MID |

文字の抜き出し(真ん中から)
=MID(文字列,開始位置,文字数)
文字列の指定された位置から指定された文字数の文字を返す

4 | LEN |

文字数を数える
=LEN(文字列)
文字列の文字数を数字で返す

5 | FIND |

文字を検索
=FIND(検索文字列,対象,[開始位置])
指定された文字列を他の文字列の中で検索し、その文字列が最初に現れる位置を左端から数え、その番号を返す

1 AND　OR　NOT

名前、性別、年齢が入っている表に対し、「E3」に「男かつ20歳以上」、「F3」に「男もしくは20歳以上」、「G3」に「男ではない」の3パターンで「TRUE」or「FALSE」を判定します。

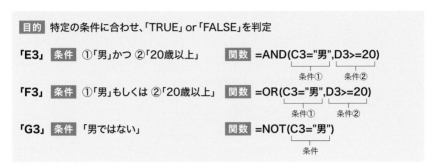

1

E3	▼	:	× ✓ fx	=AND(C3="男",D3>=20)	

▲	A	B	C	D	E	F
1						
2		名前	性別	年齢	男 かつ 20歳以上	男 もしくは 20歳以上
3		裕史	男	45	TRUE	
4		優帆	女	65		
5		陽万莉	女	14		

❶「E3」に式を入力する。
　=AND(C3="男",D3>=20)
　行「3」は「男」かつ「20以上」に当てはまるので「TRUE」と返ってくる

2

▲	A	B	C	D	E	F	G
1							
2		名前	性別	年齢	男 かつ 20歳以上	男 もしくは 20歳以上	男 ではない
3		裕史	男	45	TRUE	TRUE	FALSE
4		優帆	女	65			

❷同じように「F3」には **=OR(C3="男",D3>=20)**
　「G3」には **=NOT(C3="男")**
　と入力。条件に合わせて「TRUE」or「FALSE」が返ってくる

3

	B	C	D	E	F	G
1						
2	名前	性別	年齢	男 かつ 20歳以上	男 もしくは 20歳以上	男 ではない
3	裕史	男	45	TRUE	TRUE	FALSE
4	優帆	女	65			
5	陽万莉	女	14			
6	詩織	女	75			
7	汐莉	女	11			
8	なつ美	女	68			
9	拓也	男	19			

❸ 「E3:G3」までを選択し、「E9:G9」まででオートフィルで数式をコピー！

	B	C	D	E	F	G
1						
2	名前	性別	年齢	男 かつ 20歳以上	男 もしくは 20歳以上	男 ではない
3	裕史	男	45	TRUE	TRUE	FALSE
4	優帆	女	65	FALSE	TRUE	TRUE
5	陽万莉	女	14	FALSE	FALSE	TRUE
6	詩織	女	75	FALSE	TRUE	TRUE
7	汐莉	女	11	FALSE	FALSE	TRUE
8	なつ美	女	68	FALSE	TRUE	TRUE
9	拓也	男	19	FALSE	TRUE	FALSE

結果が一括で
出ると
気持ちいいね！

IF × **1** **AND** **OR** **NOT**

今入力した「E3:G9」の「AND」「OR」「NOT」関数に「IF」関数を組み合わせて、「TRUE」を「○」、「FALSE」を「空白」の表示に変えてみましょう。

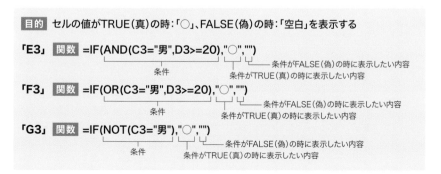

目的 セルの値がTRUE（真）の時：「○」、FALSE（偽）の時：「空白」を表示する

「E3」 **関数** =IF(AND(C3="男",D3>=20),"○","")
　　　　　　　　　　　条件　　　　　　　 ┗━━ 条件がFALSE（偽）の時に表示したい内容
　　　　　　　　　　　　　　　　条件がTRUE（真）の時に表示したい内容

「F3」 **関数** =IF(OR(C3="男",D3>=20),"○","")
　　　　　　　　　　　条件　　　　　　　 ┗━━ 条件がFALSE（偽）の時に表示したい内容
　　　　　　　　　　　　　　　　条件がTRUE（真）の時に表示したい内容

「G3」 **関数** =IF(NOT(C3="男"),"○","")
　　　　　　　　　　　条件　　　　 ┗━━ 条件がFALSE（偽）の時に表示したい内容
　　　　　　　　　　　　　　条件がTRUE（真）の時に表示したい内容

1

| | | | fx | =IF(AND(C3="男",D3>=20),"○","") | | |

▲	A	B	C	D	E	F	G
1							
2		名前	性別	年齢	男 かつ 20歳以上	男 もしくは 20歳以上	男 ではない
3		裕史	男	45	○	TRUE	FALSE
4		優帆	女	65	FALSE	TRUE	TRUE
5		陽万莉	女	14	FALSE	FALSE	TRUE
6		詩織	女	75	FALSE	TRUE	TRUE
7		汐莉	女	11	FALSE	FALSE	TRUE
8		なつ美	女	68	FALSE	TRUE	TRUE
9		拓也	男	19	FALSE	TRUE	FALSE

❶「E3」の数式が条件になるよう、前後にIF関数を重ねる
=IF(AND(C3="男",D3>=20),"○","")
もともと入っていた数式が、「TRUE」なら、「○」、「FALSE」なら「空白」にするという式になる
「E3」はTRUEだったので、「○」が返ってくる

2

▲	A	B	C	D	E	F	G
1							
2		名前	性別	年齢	男 かつ 20歳以上	男 もしくは 20歳以上	男 ではない
3		裕史	男	45	○	○	
4		優帆	女	65	FALSE	TRUE	TRUE
5		陽万莉	女	14	FALSE	FALSE	TRUE
6		詩織	女	75	FALSE	TRUE	TRUE
7		汐莉	女	11	FALSE	FALSE	TRUE
8		なつ美	女	68	FALSE	TRUE	TRUE
9		拓也	男	19	FALSE	TRUE	FALSE

❷同じように、「F3」には**=IF(OR(C3="男",D3>=20),"○","")**
「G3」には**=IF(NOT(C3="男"),"○","")**
と式を編集する

3

▲	A	B	C	D	E	F	G
1							
2		名前	性別	年齢	男 かつ 20歳以上	男 もしくは 20歳以上	男 ではない
3		裕史	男	45	○	○	
4		優帆	女	65		○	○
5		陽万莉	女	14			○
6		詩織	女	75		○	○
7		汐莉	女	11			○
8		なつ美	女	68		○	○
9		拓也	男	19		○	

❸あとは「E3：G3」を
選択し、「E9：G9」ま
でオートフィルすれ
ばすべて書き換えら
れる!

2 LEFT RIGHT **3** MID

次に文字関数を使って、列「B」から必要な文字を抜き出してみましょう。「C12」に「左から3文字」、「D12」に「右から4文字」、「E12」に「2文字目〜4文字分」を抜き出します。

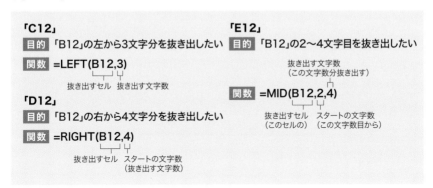

「C12」
目的 「B12」の左から3文字分を抜き出したい
関数 =LEFT(B12,3)
抜き出すセル　抜き出す文字数

「D12」
目的 「B12」の右から4文字分を抜き出したい
関数 =RIGHT(B12,4)
抜き出すセル　スタートの文字数
（抜き出す文字数）

「E12」
目的 「B12」の2〜4文字目を抜き出したい
抜き出す文字数
（この文字数分抜き出す）
関数 =MID(B12,2,4)
抜き出すセル　スタートの文字数
（このセルの）（この文字数目から）

1

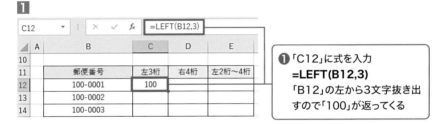

❶「C12」に式を入力
=LEFT(B12,3)
「B12」の左から3文字抜き出すので「100」が返ってくる

2

❷同様に「D12」に
=RIGHT(B12,4)
「E12」に
=MID(B12,2,4)
と入力すると、それぞれ指定の文字数分抜き出せる

3

❸あとは「C12:E12」を選択して「C14:E14」までオートフィルでコピー！

113

4 **LEN** 続いて住所全体の文字数を出してみます。

目的 文字数を返したい　　**関数** =LEN(B17)

調べたいセル

C17		×	✓	fx	=LEN(B17)	

	A	B	C	D	E	F
13		100-0002	100	0002	00-0	
14		100-0003	100	0003	00-0	
15						
16		住所	全文字数	"都"までの文字数	都道府県名	それ以降
17		東京都千代田区千代田	10			
18		東京都千代田区皇居外苑				
19		東京都千代田区一ツ橋				
20						

❶「C17」に数式を入力する。**=LEN(B17)**
「B17」の文字数が返ってくるので「10」となる

---

5 **FIND** 次に「都」までの文字数を数えてみましょう。

目的「都」までの文字数を返したい　　**関数** =FIND("都",B17,1)

条件「都」

検索する文字（この文字を）
検索するセル（この中の）
検索を開始する文字位置（この文字数目以降から検索する）

D17		×	✓	fx	=FIND("都",B17,1)	

	A	B	C	D	E	F
13		100-0002	100	0002	00-0	
14		100-0003	100	0003	00-0	
15						
16		住所	全文字数	"都"までの文字数	都道府県名	それ以降
17		東京都千代田区千代田	10	3		
18		東京都千代田区皇居外苑				
19		東京都千代田区一ツ橋				

❶「D17」に数式を入力する。**=FIND("都",B17,1)**
「B17」の先頭から「都」を検索し、見つかった文字位置を返す式
1文字目から数えて「都」は3文字目にあるので「3」と返ってくる

② LEFT & ⑤ FIND

文字数が数えられるようになったところで、次は、住所から「東京都」のみ抜き出していきます。
より正確に抜き出すために、「"都"という文字から左を抜き出す」という式にします。

考え方 住所の中から"都"を見つけ、"都"から左側の文字を抜き出す

関数 =LEFT(B17,「都」までの文字数)

抜き出したいセル　FIND("都",B17,1)=「3」

つまり

=LEFT(B17,FIND("都",B17,1))

「3」

	E17	▼	:	× ✓	f_x	=LEFT(B17,FIND("都",B17,1))	

▲	A	B	C	D	E	F
13		100-0002	100	0002	00-0	
14		100-0003	100	0003	00-0	
15						
16		住所	全文字数	"都"までの文字数	都道府県名	それ以降
17		東京都千代田区千代田	10	3	東京都	
18		東京都千代田区皇居外苑				

❶「E17」に数式を入力する
=LEFT(B17,FIND("都",B17,1))
「B17」の「都」までの文字数分を「B17」の左から抜き出す
という式
「都」までの文字数は「3」なので、「B17」の左から3文字分
抜き出して、答えは「東京都」と返ってくる

2 RIGHT & 4 LEN & 5 FIND

今度は「東京都」より右の住所を抜き出していきます。

> **考え方**　「B17」は「東京都千代田区千代田」で、「東京都」より右の文字というと、「千代田区千代田」の7文字を抜き出したいということ。
> つまり、
> **「全体の文字数（10文字）」－「東京"都"までの文字数（3文字）」＝「"都"より後ろの文字数（7文字）」**
> を「B17」の右から抜き出すという式にする。

> **関数**　**=RIGHT(B17,「都」より後ろの文字数)**
>
> 　　　抜き出したいセル　　LEN(B17)-FIND("都",B17,1)=10-3=「7」
>
> つまり
>
> **=RIGHT(B17,LEN(B17)-FIND("都",B17,1))**
>
> 　　　　　　　　　　　　　「7」

1

F17	▼	:	× ✓	fx	=RIGHT(B17,LEN(B17)-FIND("都",B17,1))	

◢	A	B	C	D	E	F
13		100-0002	100	0002	00-0	
14		100-0003	100	0003	00-0	
15						
16		住所	全文字数	"都"までの文字数	都道府県名	それ以降
17		東京都千代田区千代田	10	3	東京都	千代田区千代田
18		東京都千代田区皇居外苑				
19		東京都千代田区一ツ橋				
20						

❶「F17」に数式を入力する。
=RIGHT(B17,LEN(B17)-FIND("都",B17,1))
「B17の全体の文字数」－「都までの文字数」を「B17」の右から抜き出すという式。
10-3=「7」文字分を「B17」から抜き出すので、「千代田区千代田」と返ってくる

2

	A	B	C	D	E	F
13		100-0002	100	0002	00-0	
14		100-0003	100	0003	00-0	
15						
16		住所	全文字数	"都"までの文字数	都道府県名	それ以降
17		東京都千代田区千代田	10	3	東京都	千代田区千代田
18		東京都千代田区皇居外苑	11	3	東京都	千代田区皇居外苑
19		東京都千代田区一ツ橋	10	3	東京都	千代田区一ツ橋
20						

❷あとは「C17:F17」を選択
して「C19:F19」までオート
フィルでコピー！

これで「名簿データベース」は完成！

	A	B	C	D	E	F	G
1							
2		名前	性別	年齢	男 かつ 20歳以上	男 もしくは 20歳以上	男 ではない
3		裕史	男	45	○	○	
4		優帆	女	65		○	○
5		陽万莉	女	14			○
6		詩織	女	75		○	○
7		汐莉	女	11			○
8		なつ美	女	68		○	○
9		拓也	男	19		○	
10							
11		郵便番号	左3桁	右4桁	左2桁～4桁		
12		100-0001	100	0001	00-0		
13		100-0002	100	0002	00-0		
14		100-0003	100	0003	00-0		
15							
16		住所	全文字数	"都"までの文字数	都道府県名	それ以降	
17		東京都千代田区千代田	10	3	東京都	千代田区千代田	
18		東京都千代田区皇居外苑	11	3	東京都	千代田区皇居外苑	
19		東京都千代田区一ツ橋	10	3	東京都	千代田区一ツ橋	

これで完成！この部分を好きな文字に変えて、更新されたらOK！
住所は「都」を探す数式を入れているので、「東京都」以外の住所を入れるとエラーになって
返ってくる。エラー表示を消したい時は、さらに「IFERROR」関数を重ねてみよう。複数の関
数を重ねる際は、「1つの関数につき、1つの"()"」になっているか確認する。
"引数が少ない"とエラーが出る場合は、「,」の位置が正しいか、「,」で区切るのを忘れていない
かをもう一度確認しよう！

第3章

表組見本付き！ 関数の見るだけ図解

日付は社会の最大ルール！ 正確な管理をマスター

西暦、和暦、四半期、月末月初など、日付に関するデータにもさまざまな表記や種類があります。Excelにはこうした表記の違いに対応し、正確に日付を管理する関数がたくさん用意されています。

「毎月の営業カレンダー」を作成！

ここでは毎月の営業カレンダーを作成してみましょう。「B2」の「年数」と「D2」の「月数」を変えるだけで、カレンダーの日付や曜日が更新されるようにしていきます。

「毎月の営業カレンダー」で使われている関数

1	CHOOSE	**四半期数を返す** =CHOOSE(インデックス,値1,[値2],…) インデックス番号に基づいて最大254個の値から1つを選択できる
2	DATE	**日付を表示** =DATE(年,月,日) 特定の日付を表す連続したシリアル値を返す
3	EOMONTH	**月末を表示** =EOMONTH(開始日,月) 開始日から起算して、指定された月数だけ前または後の月の最終日に対応するシリアル値を返す
4	TEXT	**表示形式を変える** =TEXT(書式設定する値,"適用する表示形式コード") 表示形式コードを使用して数値に書式設定を適用することで、数値の表示方法を変更できる
5	WORKDAY	**営業日後を検索する** =WORKDAY(開始日,日数,[祝日]) 開始日から起算して、指定された稼働日数だけ前または後の日付に対応する値を返す

1 CHOOSE　まず「H4」にこのカレンダーが第何四半期なのかを出していきます。この会社は3月末締めなので、4〜6月が第1四半期、7〜9月が第2四半期、10〜12月が第3四半期、1〜3月が第4四半期とします。

目的 このカレンダーが第何四半期のものか知りたい

1月 2月 3月 4月 5月 6月 7月 8月 9月 10月 11月 12月
関数 =CHOOSE(D2,4,4,4,1,1,1,2,2,2,3,3,3)

参照する「月」　1月から12月まで、各月に対応する四半期の値

❶ 「H4」に式を入力する。=CHOOSE(D2,4,4,4,1,1,1,2,2,2,3,3,3)
参照している「D2」は「10」。つまりはこの式の10番目の値を返すので「3」と返ってくる

119

2 **DATE** 続いて日付を入力していきます。単純に「1、2、3…」と入力すると年月数を変えても日付が自動更新にならないので、DATE関数を使用し「○年△月×日」と正確な情報を持たせていきます。

目的 カレンダーの年月数に連携させた日付を表示させる

関数 =DATE(B2,D2,1)
　　　　　　　年　　月　日

❶「B5」に式を入力する
=DATE(B2,D2,1)
「B2年D2月1日」となるので、「2022/10/1」と返ってくる

---

3 **EOMONTH** 次に「H5」にEOMONTH関数を使用して、月の最終日を表示させます。

目的 月の最終日を表示させる

関数 =EOMONTH(B5,0)

月	前々月	前月	当月	翌月	翌々月
	−2	−1	0	1	2

参照する日付　参照した日の何か月先の月末か

❶「H5」に式を入力する
=EOMONTH(B5,0)
「2022/10/1」の当月末は何日かを返すので「2022/10/31」
と返ってくる

❷ **DATE** 次に「2022/10/2」以降の日付も入力していきます。「月末日で日付の表示が止まるような条件を付けたいので、IF関数を使用して入力していきます。

目的 1つ上の日付に「+1日」をして次の日付を表示させ、月末日になったらそれ以降の翌月の日付は表示しない。

条件 1つ上のセルが月末日以上の数値になった時：「空白」、それ以外の時：「上の日付+1」

関数 =IF(B5>=$H$5,"",B5+1)

条件
真の時に表示したい内容
偽の時に表示したい内容

オートフィル
対策として
絶対参照を
お忘れなく！

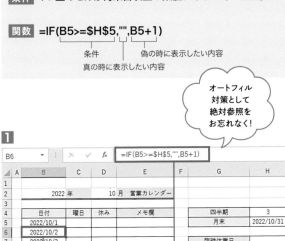

❶「B6」に式を入力する
=IF(B5>=$H$5,"",B5+1)
条件は
「B5（1つ上のセル）がH5（月末の2022/10/31）以上になった時」
つまり、「1つ上のセルが"2022/10/31"や"2022/11/1以降"の数値になった時」は「空白」にし、それ以外は「上のセルに+1」をするという式になる。
「B5」は「H5」未満なので、「+1」となり「2022/10/2」と返ってくる

29	2022/10/25
30	2022/10/26
31	2022/10/27
32	2022/10/28
33	2022/10/29
34	2022/10/30
35	2022/10/31

❷「B6」を「B7:B35」までオートフィルでコピーする。
31日まで日付が入ればOK！

4 `TEXT` 続いて列「C」にTEXT関数を使用して、列「B」の「日付」に対する「曜日」を「月、火…」の形式で表示させていきます。

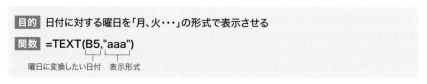

目的 日付に対する曜日を「月、火・・・」の形式で表示させる

関数 =TEXT(B5,"aaa")
曜日に変換したい日付　表示形式

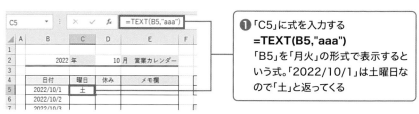

❶「C5」に式を入力する
=TEXT(B5,"aaa")
「B5」を「月火」の形式で表示するという式。「2022/10/1」は土曜日なので「土」と返ってくる

「値」の引数が2022/9/1の時の表示形式

種類	表示形式	説明	結果
日付	yy	西暦を下2桁で表示	22
	yyyy	西暦を下4桁で表示	2022
	m	月を数字で表示	9
	mm	月を2桁の数値で表示	09
	mmm	月の英語を短縮系で表示	Sep
	mmmm	月を英語で表示	September
	d	日付を数値で表示	1
和暦	e	和暦の年を表示	4
	g	和暦の元号をアルファベット短縮形で表示	R
	gg	和暦の元号を漢字短縮形で表示	令
	ggg	和暦の元号を表示	令和
曜日	aaa	曜日を短縮形で表示	木
	aaaa	曜日を表示	木曜日
	ddd	曜日を英語の短縮形で表示	Thu
	dddd	曜日を英語表示	Thursday

「dd」だと2桁の「01」に!

「値」の引数が「0」の時

種類	表示形式	結果
数値(0を表示しない)	#	
数値(0を表示する)	0	0

「値」の引数が「12.3」の時

種類	表示形式	結果
数値(0を表示しない)	##.##	12.3
数値(0を表示する)	00.00	12.30
#/0組み合わせ	#000.000#	012.300

IF & **OR**

続いて列「D」に「店休日」を入力していきます。休みは「土」「日」と「H7」の臨時休業日の3種類です。

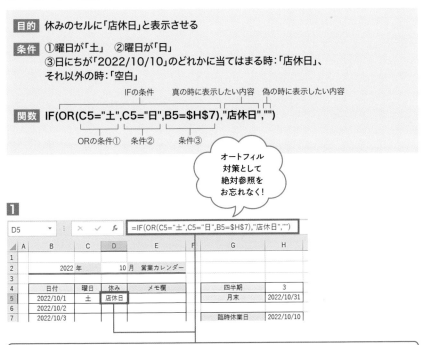

目的　休みのセルに「店休日」と表示させる

条件　①曜日が「土」　②曜日が「日」
　　　③日にちが「2022/10/10」のどれかに当てはまる時：「店休日」、
　　　それ以外の時：「空白」

関数　IF(OR(C5="土",C5="日",B5=$H$7),"店休日","")

オートフィル
対策として
絶対参照を
お忘れなく!

1

| D5 | | ✕ ✓ *fx* | =IF(OR(C5="土",C5="日",B5=$H$7),"店休日","") | | | |

	A	B	C	D	E	F	G	H
1								
2		2022 年		10 月	営業カレンダー			
3								
4		日付	曜日	休み	メモ欄		四半期	3
5		2022/10/1	土	店休日			月末	2022/10/31
6		2022/10/2						
7		2022/10/3					臨時休業日	2022/10/10

❶「D5」に式を入力する
=IF(OR(C5="土",C5="日",B5=$H$7),"店休日","")
「C5」が「土」、または「C5」が「日」または「B5」が「2022/10/10」の時、「店休日」と表示
するという式。「C5」が「土」に当てはまるので真となり「店休日」と返ってくる

2

30	2022/10/26	水	
31	2022/10/27	木	
32	2022/10/28	金	
33	2022/10/29	土	店休日
34	2022/10/30	日	店休日
35	2022/10/31	月	

❷「C5:D5」を選択し、「C35:D35」まで
オートフィルでコピーする。曜日と店休
日が一気に入力されたらOK!

第3章

表組見本付き! 関数の見るだけ図解

123

4 **WORKDAY** 最後に「H8」に、WORKDAY関数を使って「2022/10/5から3営業日後」の日付を算出していきます。

目的 「土日」と「臨時休業日」以外の営業日で「2022/10/5」の3営業日後を出したい

関数 =WORKDAY(B9,3,H7)

カウント開始日(この日から)　　カウントから除きたい日

何営業日後か

H8	▼	:	× ✓	fx	=WORKDAY(B9,3,H7)	

	A	B	C	D	E	F	G	H
1								
2		2022 年		10 月	営業力カレンダー			
3								
4		日付	曜日	休み	メモ欄		四半期	3
5		2022/10/1	土	店休日			月末	2022/10/31
6		2022/10/2	日	店休日				
7		2022/10/3	月				臨時休業日	2022/10/10
8		2022/10/4	火				5日から3営業日後	2022/10/11
9		2022/10/5	水					
10		2022/10/6	木					
11		2022/10/7	金					
12		2022/10/8	土	店休日				
13		2022/10/9	日	店休日				
14		2022/10/10	月	店休日				
15		2022/10/11	火					
16		2022/10/12	水					
17		2022/10/13	木					

> 予約の際などに、何日にできあがるかを表すのに使える

❶「H8」に式を入力する。**=WORKDAY(B9,3,H7)**
「B9」の「2022/10/5(水)」から3営業日後なので、(木)・(金)ときて、「土日」を飛ばし、「2022/10/10(月)」も除外するので、さらに次の「2022/10/11」が返ってくる

余裕があれば、日にちの表示を「日」だけにしてみましょう。

❶「B5:B35」を選択し Ctrl + 1 で書式設定のダイアログを開く。「表示形式」タブから「ユーザー定義」→「種類」の欄に「d」と入力し、OKで確定!

これで「毎月の営業日カレンダー」は完成！

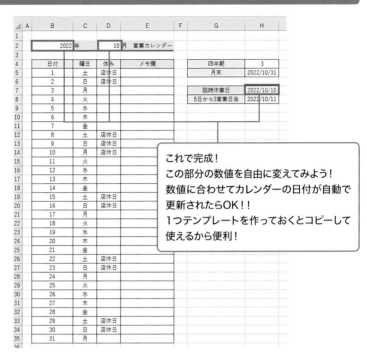

これで完成！
この部分の数値を自由に変えてみよう！
数値に合わせてカレンダーの日付が自動で
更新されたらOK！！
1つテンプレートを作っておくとコピーして
使えるから便利！

日付の関数は他にもいろいろ

	種類	関数	結果
	今日	=TODAY()	2022/12/16
	年	=YEAR(D2)	2022
	月	=MONTH(D2)	12
	日	=DAY(D2)	16

「TODAY」関数
今日の日付を表示して、日を越えると更新
される。
「YEAR」「MONTH」「DAY」関数
日にちを参照して、「年月日」だけの表示に
する

=DATEDIF(C3,C2,"Y")

	今日の日にち	2022/12/16
	誕生日	1995/7/14
	誕生日から今日までの日にち	27

「DATEDIF」関数
誕生日など期間を数えたい時に使える☆
=DATEDIF(開始日,終了日,表示形式)
1995/7/14〜2022/12/14の年数を
出す式になり、「27歳」ということがわかる

125

美しさを求めて
見栄えの統一を自動化

複数の人がデータを入力すると、人によって同じデータでも表記に違いが出てしまうことがあります。表記のブレは正確にデータを把握する妨げになるので、関数を使って効率よく探し出し、修正しましょう。

表示形式の統一

表示形式の統一で使われている関数

1	ASC	**全角の文字列を半角に変換する関数** =ASC（文字列） 変換できるのはアルファベットと数字、記号、カタカナのみ
2	JIS	**半角の文字列を全角に変換する関数** =JIS（文字列） 変換できるのはアルファベットと数字、記号、カタカナのみ

3	UPPER	小文字のアルファベットの文字列を大文字に変換する関数 =UPPER（文字列） 変換できるのはアルファベットのみで、全角・半角を問わない
4	LOWER	大文字のアルファベットの文字列を小文字に変換する関数 =LOWER（文字列） 変換できるのはアルファベットのみで、全角・半角を問わない
5	PHONETIC	漢字の文字列の読みを抽出してカタカナで出力する関数 =PHONETIC（参照） 変換できるのは漢字のみ
6	CONCAT	指定した文字列を合成する関数 =CONCAT（テキスト1,[テキスト2],...） 文字列は最大253個まで引数として設定可能。合成した文字列は間にスペースなどは入らないため、スペースを入れたい場合は文字列として指定する必要がある

1 ASC 全角文字（2バイト）を半角文字（1バイト）に置き換えます。

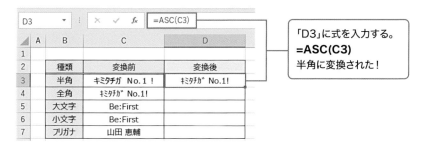

「D3」に式を入力する。
=ASC(C3)
半角に変換された！

2 JIS 半角文字（1バイト）を全角文字（2バイト）に置き換えます。

「D4」に式を入力する。
=JIS(C4)
全角に変換された！

3 **UPPER** 小文字のアルファベットを大文字に置き換えます。

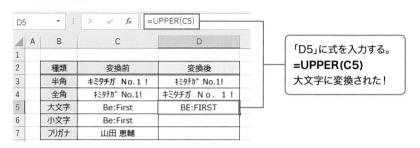

「D5」に式を入力する。
=UPPER(C5)
大文字に変換された！

4 **LOWER** 大文字のアルファベットを小文字に置き換えます。

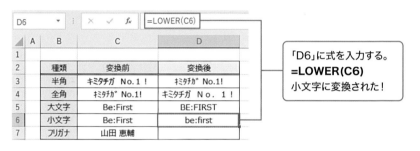

「D6」に式を入力する。
=LOWER(C6)
小文字に変換された！

5 **PHONETIC** 漢字の読みをカタカナで出力します。

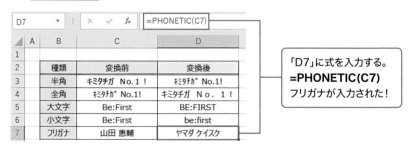

「D7」に式を入力する。
=PHONETIC(C7)
フリガナが入力された！

6 **CONCAT** 2つのセルの内容を合成します。

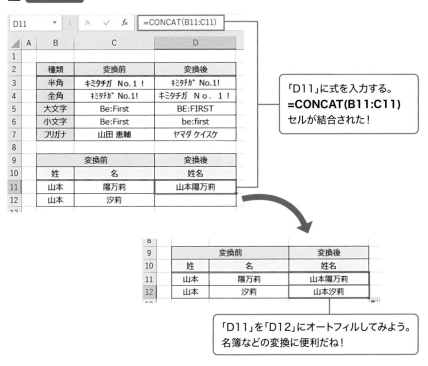

D11	:	× ✓ fx	=CONCAT(B11:C11)

	A	B	C	D
1				
2		種類	変換前	変換後
3		半角	ｷﾐﾀﾁｶﾞ No.1！	ｷﾐﾀﾁｶﾞ No.1!
4		全角	ｷﾐﾀﾁｶﾞ No.1!	キミタチガ　Ｎｏ．１！
5		大文字	Be:First	BE:FIRST
6		小文字	Be:First	be:first
7		フリガナ	山田 惠輔	ヤマダ ケイスケ
8				
9			変換前	変換後
10		姓	名	姓名
11		山本	陽万莉	山本陽万莉
12		山本	汐莉	

「D11」に式を入力する。
=CONCAT(B11:C11)
セルが結合された！

8			
9		変換前	変換後
10	姓	名	姓名
11	山本	陽万莉	山本陽万莉
12	山本	汐莉	山本汐莉

「D11」を「D12」にオートフィルしてみよう。
名簿などの変換に便利だね！

これで「表示形式の統一」が完了！

	A	B	C	D
1				
2		種類	変換前	変換後
3		半角	キミタチガ　No.1！	ｷﾐﾀﾁｶﾞ No.1!
4		全角	ｷﾐﾀﾁｶﾞ No.1!	キミタチガ　Ｎｏ．１！
5		大文字	Be:First	~~BE:FIRST~~
6		小文字	Be:First	be:first
7		フリガナ	山田 惠輔	ヤマダ ケイスケ
8				
9			変換前	変換後
10		姓	名	姓名
11		山本	陽万莉	山本陽万莉
12		山本	汐莉	山本汐莉

データを書き換えてみよう！
このように表示形式が統一さ
れれば見栄えも圧倒的にき
れいに仕上がり、エラーも減
るので、一石二鳥だね

見るだけ図解 58 条件に当てはまるセルを検索して 変動する条件でも正確に計算!

計算に必要な情報が、どのセルに入力されているかまで指定できれば、ワンランクアップ! ここでは「MATCH」や「INDEX」関数を使って表組内の交わるセル位置を正確に指定する方法をマスターしましょう。

「勤務記録と給与明細」を作成!

タイムカードに記録された時刻から、時給計算を行うための勤務記録簿を作成します。すでにタイムカードの時刻は記録されているので、これを給与計算しやすい形に整形しながら処理していきましょう。また、通勤手当一覧の距離と手段をともに通勤手当を算出し、総支給額を算出していきます。

	A	B	C	D	E	F	G	H	I	J	K	L
1												
2		勤務記録							通勤手当一覧			
3		名前		林　あかり		時給	1,500		手段／距離	自転車	自家用車	公共交通機関
4		NO.	出勤日	タイムカード記録		勤務時間	給与反映時間		1 km以内	0	2,000	3,000
5				出勤	退勤				3 km以内	500	4,000	5,000
6			1月1日	8:54	17:01				3 km以上	1,000	6,000	10,000
7			1月10日	9:12	17:46							
8			1月20日	9:03	16:50				距離	3 km以内		
9			1月21日	9:05	17:08				手段	自家用車		
10			1月22日	8:55	17:13							
11			1月23日	9:03	16:58			**2**				
12			合計時間									
13												
14		**1**				勤務日数						
15						基本給						
16						通勤手当		**3** **4**				
17						総支給額						

130

「勤務記録と給与明細」に使われている関数

1	ROW	**行番号を表示する** **=ROW([範囲])** 引数として指定された配列の行番号を返す
2	CEILING	**基準値に合わせて切り上げる** **=CEILING(数値, 基準値)** 基準値の倍数のうち、絶対値に換算して最も近い値に切り上げられた数値を返す
3	INDEX	**表の交わるセルを表示する** **=INDEX(配列, 行番号, [列番号])** テーブルまたはセル範囲にある値、あるいはその値のセル参照を返す
4	MATCH	**表の交わるセルを表示する** **=MATCH(検査値, 検査範囲, [照合の型])** 範囲のセルの範囲で指定した項目を検索し、その範囲内の項目の相対的な位置を返す

1 ROW まず、「B6:B11」に番号を振っていきます。単純に「1、2・・・」と振ってしまうと、行を削除した時に番号がずれてしまうので、ROW関数を使用して「1」と表示していきます。

目的 現在のセルの行番号を「1」と表示したい

範囲 どこのセルの行番号が知りたいのか
※入力しない場合は現在入力しているセルになる

関数 **=ROW()-5**
指定のセル(今回は入力していないので現在の「B6」となる)

> ROW関数を使って「1」と表示させたい時は、入力しているセルの1行前の行数を引けばいい！例えば「B6」の1行前は5行目なので、「-5」とすることで「B6」=「1」とできる！

1

| B6 | ▼ | : | × | ✓ | fx | =ROW()-5 |

◢	A	B	C	D	E	F	G
1							
2		勤務記録					
3		名前		林　あかり		時給	1,500
4		NO.	出勤日	タイムカード記録		勤務時間	給与
5				出勤	退勤		反映時間
6		1	1月1日	8:54	17:01		
7			1月10日	9:12	17:46		
8			1月20日	9:03	16:50		

❶「B6」に式を入力
=ROW()-5
まず、「=ROW()」で、現在のセルである「B6」の行番号が返ってくるので、「=ROW()」→「6」となる。これに「-5」をすることで「6-5」となり「1」と返ってくる

131

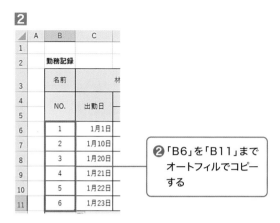

2

「B6」を「B11」まで
オートフィルでコピー
する

続いて勤務時間と給与反映時間を出していきます。「勤務時間」は実際に勤務した時間数、「給与反映時間」は勤務時間を5分単位で切り上げた時間数とします。

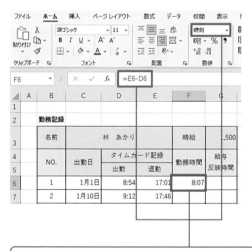

❶「F6」に勤務時間を入力する。
=E6-D6
「退勤時間-出勤時間」となり、「8:07」と返ってくる。
この時、正しく数値が返ってこない場合には、表示形
式が「時刻」に変更されているか確認しよう！

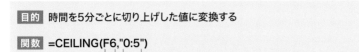

2 | **CEILING** | 続いて「G6」にCEILING関数を使用して、5分ごとに切り上げた時間数を入力していきます。

目的 時間を5分ごとに切り上げした値に変換する

関数 =CEILING(F6,"0:5")

時間　何分ごとか　※「15分ごと」→「"0:15"」、「1時間ごと」→「"1:00"」

1

❶「G6」に式を入力する。
=CEILING(F6,"0:5")
「F6」を5分単位に切り上げるので、「8:10」と返ってくる

2

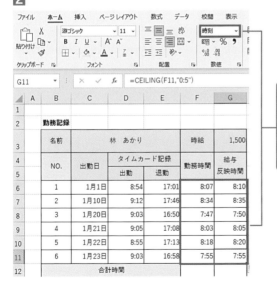

❷「F6:G6」を「F11:G11」までオートフィルでコピーする。時間が正しく表示されない時は、表示形式が「時刻」になっているか確認しよう！

「F12:G12」に合計時間を入力する。

❶「F12」に式を入力する。
=SUM(F6:F11)
単純に足し算をしてしまうと、本来の
時間数と違う値が返ってくる

❷ 時間数は24進数なので、これに
「×24」をして「○時間」とする必要が
ある。
=SUM(F6:F11)*24
まだ、時間がおかしい…

❸ 表示形式が「時刻」になってない!?
[Ctrl]+[Shift]+[^]キーを押して表示
形式を「標準」に戻すと、
「48.733333」に変わる。
これでやっと時刻を値に変換できた!

4

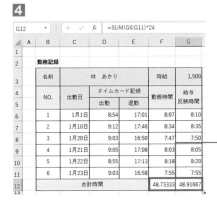

④あとは「F12」を「G12」にオート
フィルでコピーする!

小数点以下の値が多いので、「ROUNDUP」関数で小数点第2位までの値に切り上げます。

1

❶「G12」にROUNDUP関数を重ねる。
=ROUNDUP(SUM(G6:G11)*24,2)
これで小数点第3位が切り上げられて、給
与反映時間の合計は「48.92」時間となる

続いて「G14:G17」を埋めていきます。

1

❶「G14」を「B11」とリンクさせる
=B11

2

❷「G15」に時給×時間数を入力する
=G3*G12

❸ `INDEX` **&❹** `MATCH`

続いて「I3:L6」の通勤手当一覧から、「J8:J9」に入っている条件に合った通勤手当を求めていきます。2つの条件が表の中でクロスするセルを求めるためにINDEX関数とMATCH関数を組み合わせて式を組み立てます。

目的 条件に当てはまる列/行の交わるセルを返したい

関数 =INDEX(I3:L6,行番号,列番号)
　　　　　　　　　　　└検索する表全体　　MATCH関数で出す┘

行番号→MATCH(J8,I3:I6,0)
　　　　　└検索する値(これは)　└検索方法(完全一致or近似一致)
　　　　　　└検索する範囲(この中で何番目?)

列番号→MATCH(J9,I3:L3,0)
つまり
=INDEX(I3:L6,MATCH(J8,I3:I6,0),MATCH(J9,I3:L3,0))

1

❶「G16」に式を入力する式を考える。
=INDEX(I3:L6,行番号,列番号)
「I3:L6」の中で行番号、列番号の交わるセルを返すという式になる。
検索する行番号と列番号については、MATCH関数を使って指定することにする

2

❷行番号を求める。
表全体の縦軸である行番号は「距離」なので「I3:I6」の範囲で「J8」を調べる。わかりやすくするために「K8」にメモとして入力する。
=MATCH(J8,I3:I6,0)
「J8」は「I3:I6」の中で何番目かを返すので「3」と返ってくる

136

❸列番号を求める。
表全体の横軸である列番号は
「手段」なので「I3:L3」の範囲で
「J9」を調べる。
わかりやすくするために「K9」に
メモとして入力する。
=MATCH(J9,I3:L3,0)
「J9」は「I3:L3」の中で何番目か
を返すので「3」と返ってくる

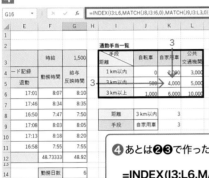

❹あとは❷❸で作った関数を❶に代入して式を組み立てる。

=INDEX(I3:L6,MATCH(J8,I3:I6,0),MATCH(J9,I3:L3,0))
　　　　　　　　❷　　　　　　　　❸

通勤手当の表の中から、行「3」列「3」の交わるセルを返すので
「4,000」が返ってくる

❺最後に「G17」に「G14:G16」の合
計を入力する。
Shift + Alt +=キーを押す。
SUM関数が入力され、Enter
キーで確定すると「77,386」が
返ってくる

これで完成！「B6:G11」のどこか1行を削除して上方向にシフトしてみよう。列「B」のNO.はずれることなく更新され、他のタイムカードの数値も変わるはず！
他にも勤務時間や、通勤距離/手段も変えてみよう。
テンプレートを作っておけば使いまわせて便利！

他にもいろいろ

	A	B	C	D
1				
2		種類	関数	結果
3		列番号	「D3」に =COLUMN()	4
4		行番号	「D3」に =ROW()	4
5				

「COLUMN」関数
ROW関数は行番号を表示する関数で、その「列」バージョン。列「A」を「1」として、( )内のセルの列番号を表示する。ROWと同じように、番号を表示したい時は列の削除に備えてCOLUMN関数を使用しよう！

	A	B	C	D
1				
2		時間	9:03	
3		種類	関数	結果
4		切り上げ	=CEILING(C2,"0:5")	9:05
5		切り捨て	=FLOOR(C2,"0:5")	9:00

「FLOOR」関数
CEILING関数は基準値に合わせて切り上げたが、FLOORは切り捨てバージョン

138

4章

並べ替え・抽出と
データ分析の
見るだけ図解

人名も関数もリストから選べば入力ミスが激減！

並べ替え

Excelでは、テキスト入力の際に、用意した候補から選べる「プルダウンリスト」を作成できます。間違えてはいけない人名や1文字でも間違うと計算されない関数の検索値などの入力ミスを防げます。

「プルダウンリスト」は、Excelの表の一部をリストとして指定する方法と、リストを作らずに設定ダイアログの上だけで指定する方法があります。

プルダウンリストを作成

❶プルダウンリストにしたい項目をセルに入力する

❷プルダウンで入力したいセルを範囲選択し、「データ」タブの「データの入力規制」をクリック（アクセスキーは Alt → A → V → V キー、または Alt → D → L キー）

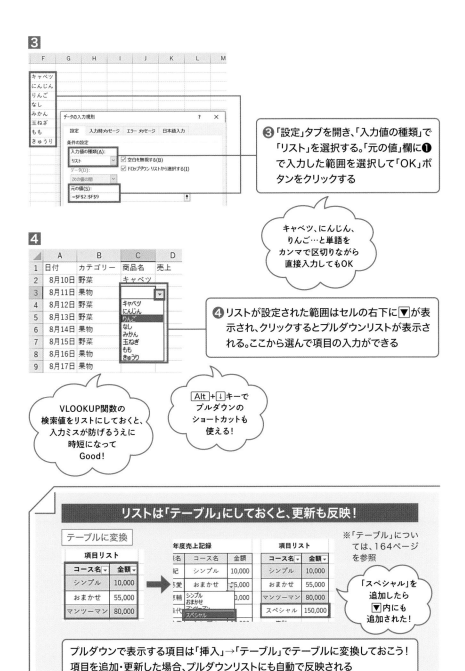

3

❸「設定」タブを開き、「入力値の種類」で「リスト」を選択する。「元の値」欄に❶で入力した範囲を選択して「OK」ボタンをクリックする

4

キャベツ、にんじん、りんご…と単語をカンマで区切りながら直接入力してもOK

❹リストが設定された範囲はセルの右下に▼が表示され、クリックするとプルダウンリストが表示される。ここから選んで項目の入力ができる

VLOOKUP関数の検索値をリストにしておくと、入力ミスが防げるうえに時短になってGood!

[Alt]+[↓]キーでプルダウンのショートカットも使える!

リストは「テーブル」にしておくと、更新も反映!

テーブルに変換

項目リスト

コース名	金額
シンプル	10,000
おまかせ	55,000
マンツーマン	80,000

年度売上記録

名	コース名	金額
紀	シンプル	10,000
愛	おまかせ	55,000
輔		0,000
代		

シンプル
おまかせ
マンツーマン
スペシャル

項目リスト

コース名	金額
シンプル	10,000
おまかせ	55,000
マンツーマン	80,000
スペシャル	150,000

※「テーブル」については、164ページを参照

「スペシャル」を追加したら▼内にも追加された!

プルダウンで表示する項目は「挿入」→「テーブル」でテーブルに変換しておこう!
項目を追加・更新した場合、プルダウンリストにも自動で反映される

見るだけ図解 **60**

膨大なデータの中から**必要な**
データだけを表示する フィルター

**フィルター機能では、Excelに入力した大量のデータを並べ替えたり、必要な
データだけに絞り込んだりすることができます。**

　「フィルター」機能には、特定の文字列を含むデータを抽出する「テキストフィルター」、
指定した日や期間を対象とする「日付フィルター」、指定の数値と等しい、あるいは大き
い／小さいデータを対象とする「数値フィルター」なども利用できます。

特定の値のデータだけ抜き出す

1

❶表の一部をクリックして選択する

> 表の中に
> 空欄がある時は、
> 表全体を
> 選択しよう

2

❷「データ」タブのフィルター、または
[Ctrl]+[Shift]+[L]キーを選択(アク
セスキーは[Alt]→[A]→[T]キー)

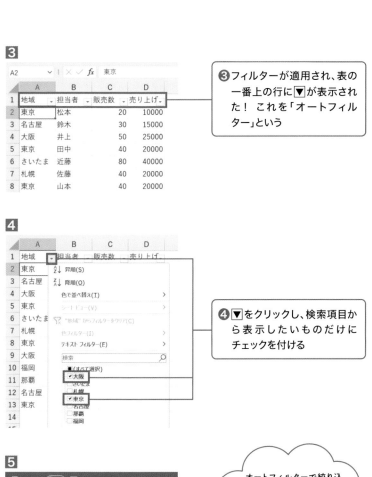

3

❸フィルターが適用され、表の一番上の行に▼が表示された！ これを「オートフィルター」という

4

❹▼をクリックし、検索項目から表示したいものだけにチェックを付ける

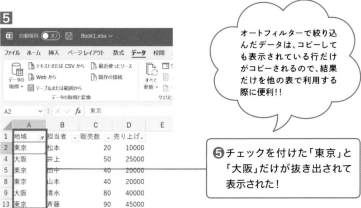

5

オートフィルターで絞り込んだデータは、コピーしても表示されている行だけがコピーされるので、結果だけを他の表で利用する際に便利!!

❺チェックを付けた「東京」と「大阪」だけが抜き出されて表示された！

優先順位の高いデータから
順に並べ替える

並べ替え

表に入力したデータは、並び替えると比較しやすくなります。Excelなら並び替えも簡単に行えます。

　Excelではデータを列単位で並び替えられます。同じ行にあるデータは一緒に並び替えられるので、関連性がなくなることはありません。並び順は「昇順」（小→大）と「降順」（大→小）の2種類から選べます。

データを昇順／降順で並べ替え

1

❶表のどこか1つセルを選択し、「データ」タブの「並べ替え」をクリック（アクセスキーは Alt → A → S → S キー）

2

担当者　　　　　　昇順

❷この画面が出てきたら、並べ替え条件を設定していく。
「最優先されるキー」に設定した条件が第一優先になる。
「担当者」ごとに「昇順」という条件が完成

3

❸続いて「レベルの追加」をクリックすると「次に優先されるキー」
が出てくる。ここに❷と同じように第二条件を入れていく

4

❹この場合の並べ替え条件は
①担当者ごとに昇順
②売上金額の多い順
条件の設定ができたらOKをクリック。

5

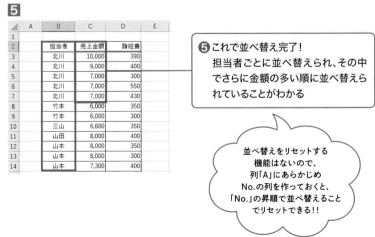

	A	B	C	D	E
1					
2		担当者	売上金額	諸経費	
3		北川	10,000	390	
4		北川	9,000	400	
5		北川	7,000	300	
6		北川	7,000	550	
7		北川	7,000	430	
8		竹本	6,000	350	
9		竹本	6,000	300	
10		三山	6,600	350	
11		山田	8,000	400	
12		山本	8,000	350	
13		山本	8,000	300	
14		山本	7,300	400	

❺これで並べ替え完了！
担当者ごとに並べ替えられ、その中
でさらに金額の多い順に並べ替えら
れていることがわかる

並べ替えをリセットする
機能はないので、
列「A」にあらかじめ
No.の列を作っておくと、
「No.」の昇順で並べ替えること
でリセットできる!!

145

フィルター×並べ替えで
一部だけ並べ替え！

並べ替え

表全体を並べ替えるだけでなく、表の中の一部分だけを並べ替えたい場合でも、Excelなら任意の部分だけを抜き出して並べ替えられます。

表の中の特定の項目だけを並び替えたい場合もフィルターを使います。最初に抜き出したい項目をフィルターで選別し、抜き出した結果に並び替えを適用します。そして最初のフィルターを解除すると、並び替えの結果だけが残り、元の表の順に戻ります。

表の一部だけを並べ替え

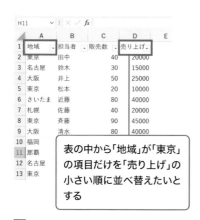

表の中から「地域」が「東京」の項目だけを「売り上げ」の小さい順に並べ替えたいとする

1 まずは表の「地域」の右の▼をクリックし、「東京」でオートフィルターをかける

2 次に並べ替えた表の「売り上げ」の右の▼をクリックし、「昇順」をクリックする

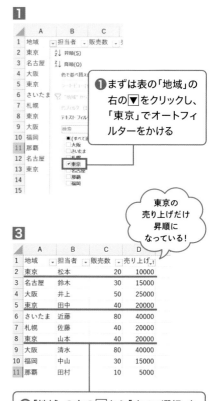

東京の売り上げだけ昇順になっている！

3 「地域」の右の▼から「すべて選択」を選んで**1**のフィルターを解除する

「ユーザー設定リスト」で
どんな並べ順も自由自在

並べ替え

Excelではさまざまな並び順を指定できますが、「ユーザー設定リスト」を使えば、さらに独自の並び順のルールを登録できます。

Excelでは数字順、アルファベット順、50音順などさまざまな並び順を指定できますが、中には都道府県順、服のサイズ順、会社の役職の順番に並べたいといったこともあるでしょう。こうした独自のルールによる並び順を実現するのが「ユーザー設定リスト」です。

ユーザー設定リストの設定方法

1

2

❶ワークシートに、ユーザー設定リストとして登録したい値を上から下に並べて入力する。この順番で定義されるので、正確に入力しよう

❷入力したリストを選択して「ファイル」タブから一番下の「オプション」を選ぶ

❸「Excelのオプション」画面が開いたら「詳細設定」タブを開き、画面を下にスクロールさせて「ユーザー設定リストの編集」をクリックする

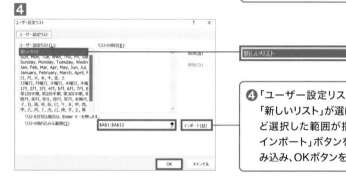

❹「ユーザー設定リスト」画面が開く。「新しいリスト」が選ばれており、先ほど選択した範囲が指定されている。「インポート」ボタンをクリックして読み込み、OKボタンを押せば完了

ユーザー設定リストの使い方

このように順番が不規則でも大丈夫！

❶並べ替えたいセルをドラッグで選択する

148

2

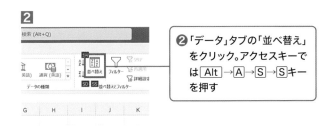

❷「データ」タブの「並べ替え」
をクリック。アクセスキーで
は Alt → A → S → S キー
を押す

3

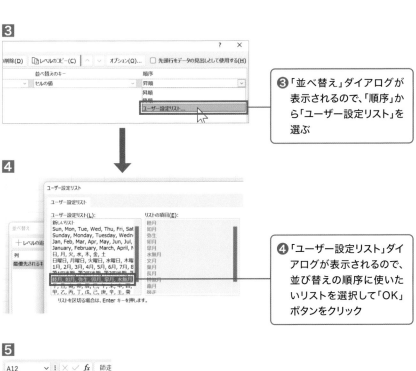

❸「並べ替え」ダイアログが
表示されるので、「順序」か
ら「ユーザー設定リスト」を
選ぶ

4

❹「ユーザー設定リスト」ダイ
アログが表示されるので、
並び替えの順序に使いた
いリストを選択して「OK」
ボタンをクリック

5

❺設定したとおりの順番で並
び替えられた！

見るだけ図解 **64**

データを 日付で素早く絞り込む！ フィルター

フィルターにはテキストのほか、数字や日付によるフィルタリングも可能です。
年・月・日など便利に絞り込めます。

　フィルターの対象となる項目が日付になっている場合は「日付フィルター」が利用可能です。日付フィルター自体は通常のフィルターと同じように使えますが、範囲指定の仕方が独特で、日付に特化した指定が行えます。

日付による絞り込み

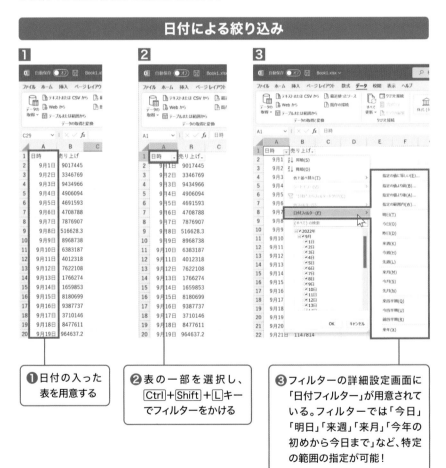

❶ 日付の入った表を用意する

❷ 表の一部を選択し、Ctrl + Shift + L キーでフィルターをかける

❸ フィルターの詳細設定画面に「日付フィルター」が用意されている。フィルターでは「今日」「明日」「来週」「来月」「今年の初めから今日まで」など、特定の範囲の指定が可能！

ワイルドカードであいまいな条件で検索可能に！

フィルター

「〜から始まる」「〜を含む」「〜で終わる」など、あいまいな条件で検索したい時、条件に「＊」などの記号を付けるだけで幅広い検索が可能になります。

ワイルドカードは、フィルターを使用しての抽出や、置換・検索機能を使って検索する時のほか、SUMIFS関数やCOUNTIFS関数など検索条件の入力が必要な関数でも使用できます。

記号を付ける位置で、あいまい検索の精度を上げる

文字数を指定せず検索する時は「＊」を使う

種　類	検索値	結　果
角ではじまる語	角＊	角、角川、角力、角行灯
角を含む語	＊角＊	角、一角獣、三角地帯
角で終わる語	＊角	角、総角、役小角

特定の文字数で検索する時は「？」を使う

種　類	検索値	結　果
角で始まる2文字の語	角？	角川、角力
角で終わる2文字の語	？角	総角、三角、四角
角で終わる3文字の語	？？角	侵入角、役小角
3文字で真ん中が角の語	？角？	一角獣

使用例

関数×ワイルドカード
条件を「＊コース」とすることで、「コースで終わる」項目だけの合計を返せる

置換×ワイルドカード
条件を「＊県？？市」とすることで、「県のつく2文字の市で終わる」項目だけの書式の変更ができる

複数の条件で
データを抜き出したい

フィルター

フィルターは単純な条件だけでなく、複数を組み合わせることで複雑な条件での絞り込みが可能になります。

フィルターの検索条件では、条件を複数組み合わせるほか、条件のどちらもを満たす（AND検索）、いずれかを満たす（OR検索）といった抜き出し方も可能です。こうした複雑な条件の設定には「テキストフィルター」を使います。

複雑な条件もテキストフィルターで簡単設定

	A	B	C	D
1				
2		担当者	売上金額	諸経費
3		山本 亜茄莉	6,000	350
4		山田 沙穂里	6,500	300
5		山本 裕史	6,600	350
6		山田 竜輔	7,300	400
7		山本 陽万莉	7,000	550
8		山田 恵輔	8,000	430
9		山本 汐莉	7,300	400

❶表の一部を選択し Ctrl + Shift + L キーでフィルターをかける

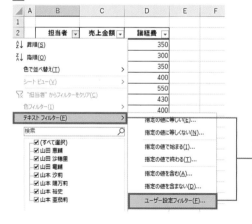

❷「テキストフィルター」から「ユーザー設定フィルター」を選択

3

❸カスタム画面が出てくるので、ここから条件を入れていく。
「山」で始まる かつ 「莉」で終わる
と設定してみる

4

	A	B	C	D
1				
2		担当者	売上金額	諸経費
3		山本 亜茄莉	6,000	350
7		山本 陽万莉	7,000	550
9		山本 汐莉	7,300	400

❹条件に合ったデータだけが抽出される。他にも「OR」にすれば「または」となり、数値データの場合は「〜以上」「〜以下」なども設定できる

条件付き書式でセルに自動で色を付ける

条件付き書式

データの入力では入力ミスが最大の敵です。指定したセルを赤くしてわかりやすくするほか、曜日ごとに色分けなどして色を変えられます。

　条件を設定し、それに該当するセルの状態になったら自動で書式を変更してくれる「条件付き書式」機能。条件は自由にカスタマイズでき、入力ミスを防げるほか、最大値／最小値、数値の大小を判別したり、数式と連携して幅広い条件を設定できます。

空白を判別して入力漏れを防ぐ

表全体に「空白」の時は「赤い背景」にするという条件をセットしてみよう！

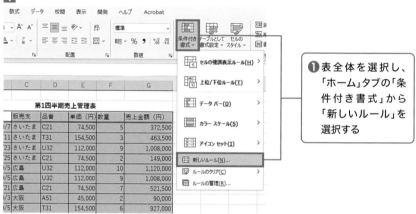

❶表全体を選択し、「ホーム」タブの「条件付き書式」から「新しいルール」を選択する

❷ルール設定の画面が出てくるので「指定の値を含むセルだけを書式設定」を選択し、「次のセルの値を書式設定」の部分を「空白」にする。これで条件の設定が完了したので、次は「書式」から背景色の設定をしていく

3

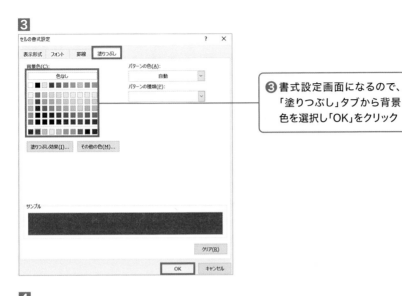

❸書式設定画面になるので、「塗りつぶし」タブから背景色を選択し「OK」をクリック

4

❹前の画面に戻ったら画面下の「プレビュー」を確認して「OK」をクリックする

5

第1四半期売上管理表					
日付	販売支	品番	単価（円）	数量	売上金額（円）
2022/9/3	大阪	A51	45,000	2	90,000
2022/9/4	北海道	D11	29,800	3	89,400
2022/9/5	広島	U32	112,000	10	1,120,000
2022/9/5		U32	112,000	9	1,008,000
2022/9/5	大阪	T31	154,500	6	927,000
2022/9/7	さいたま	C21	74,500	5	372,500
	北海道	U32	112,000	3	336,000
2022/9/11	さいたま	T31	154,500	3	463,500
2022/9/13	大阪	A51	45,000	4	180,000
2022/9/13	北海道	S41	9,800	6	58,800
	大阪	A52	12,500	10	125,000
2022/9/20	北海道	A52	12,500	5	62,500
2022/9/21	広島	C21	74,500	7	521,500
2022/9/23	さいたま	U32	112,000	9	1,008,000
2022/9/23	北海道	U32	112,000	2	224,000
2022/9/25	さいたま	C21	74,500	2	149,000
2022/9/27	大阪	S41	9,800	5	49,000

❺「空白」のセル」だけ「赤」の背景に塗りつぶされた！空白のセルにデータを入力すると背景色が消えるのを確認しよう！

指定の値以上に色を付ける

売上金額が「1,000,000円」以上のデータに「黄色の背景で塗りつぶし、文字を太字」の変更する書式を設定してみよう！

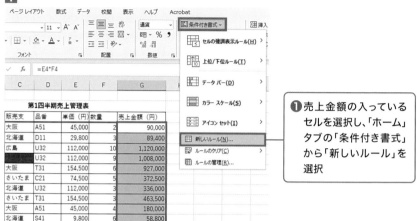

❶売上金額の入っているセルを選択し、「ホーム」タブの「条件付き書式」から「新しいルール」を選択

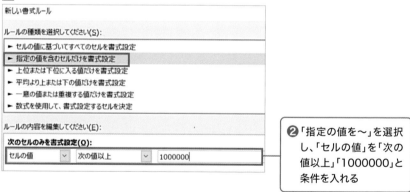

❷「指定の値を〜」を選択し、「セルの値」を「次の値以上」「1000000」と条件を入れる

3

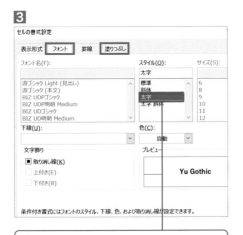

③書式設定の画面で「フォント」タブに切り替え、スタイルを「太字」に設定

4

④「塗りつぶし」タブに切り替え、背景色を「黄色」に変更したら「OK」で閉じる

5

⑤条件とプレビューを確認して「OK」で反映する

6

第1四半期売上管理表

日付	販売支	品番	単価（円）	数量	売上金額（円）
2022/9/3	大阪	A51	45,000	2	90,000
2022/9/4	北海道	D11	29,800	3	89,400
2022/9/5	広島	U32	112,000	10	**1,120,000**
2022/9/5		U32	112,000	9	**1,008,000**
2022/9/5	大阪	T31	154,500	6	927,000
2022/9/7	さいたま	C21	74,500	5	372,500
	北海道	U32	112,000	3	336,000
2022/9/11	さいたま	T31	154,500	3	463,500
2022/9/13	大阪	A51	45,000	4	180,000
2022/9/13	北海道	S41	9,800	6	58,800
	大阪	A52	12,500	10	125,000
2022/9/20	北海道	A52	12,500	5	62,500
2022/9/21	広島	C21	74,500	7	521,500
2022/9/23	さいたま	U32	112,000	9	**1,008,000**
2022/9/23	北海道	U32	112,000	2	224,000
2022/9/25	さいたま	C21	74,500	2	149,000
2022/9/27	大阪	S41	9,800	5	49,000

⑥条件にヒットするデータだけが「黄色の背景で太字」になった！

見るだけ図解 68

関数とフィルターを組み合わせて
複数列をORで絞り込み [フィルター]

フィルターでは列をまたいだOR条件が使えませんが、「OR」関数を併用すれば、「列「A」=○ または列「B」=×」といった列をまたいだOR条件での絞り込みが可能になります。

　列「A」=○ かつ列「B」=×の「AND」条件は指定できますが、OR条件は指定できません。どうしてもフィルターでOR条件を使いたい場合は、表にあらかじめOR条件の判定列を作っておき、その列をフィルターの対象とすることで絞り込みが行えます。

複数列をORで絞り込む

今回は列「G」=「黛」、または列「C」=「ノートPC」のデータを抽出してみる

❶判定対象となる列を含んだ表を用意する

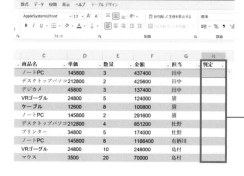

❷表の最後に判定用の列を作る

158

3

`~IF(OR(G2="黛",C2="ノートPC"),"TRUE","FALSE")`

B		C	D	E	F	G	H
	商品名	単価	数量	金額	担当	判定
'/5/1	ノートPC	145800	3	437400	田中	TRUE
'/5/1	デスクトップパソコ	212800	2	425600	田中	FALSE
'/5/1	デジカメ	45800	3	137400	田中	FALSE
'/5/2	VRゴーグル	24800	5	124000	黛	TRUE
'/5/2	ケーブル	12600	8	100800	黛	TRUE
'/5/2	ノートPC	145800	2	291600	黛	TRUE
'/5/3	デスクトップパソコ	212800	4	851200	杜野	FALSE
'/5/3	プリンター	34800	5	174000	杜野	FALSE
'/5/4	ノートPC	145800	8	1166400	有栖川	TRUE
'/5/5	VRゴーグル	24800	10	248000	島村	FALSE
'/5/5	マウス	3500	20	70000	島村	FALSE
'/5/5	ノートPC	145800	5	729000	島村	TRUE

❸判定用の列に「**=IF(OR(G2="黛",C2="ノートPC"),"TRUE","FALSE")**」
と入力し、オートフィルで全てのデータにコピーする

4

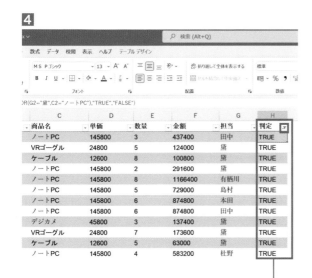

`)R(G2="黛",C2="ノートPC"),"TRUE","FALSE")`

	C	D	E	F	G	H
商品名		単価	数量	金額	担当	判定
	ノートPC	145800	3	437400	田中	TRUE
	VRゴーグル	24800	5	124000	黛	TRUE
	ケーブル	12600	8	100800	黛	TRUE
	ノートPC	145800	2	291600	黛	TRUE
	ノートPC	145800	8	1166400	有栖川	TRUE
	ノートPC	145800	5	729000	島村	TRUE
	ノートPC	145800	6	874800	本田	TRUE
	ノートPC	145800	6	874800	田中	TRUE
	デジカメ	45800	3	137400	黛	TRUE
	VRゴーグル	24800	7	173600	黛	TRUE
	ケーブル	12600	5	63000	黛	TRUE
	ノートPC	145800	4	583200	杜野	TRUE

❹「TRUE」になったセルをフィルターで絞り込めば、複数列を
OR条件で抽出することができる!

条件を満たすデータを別シートに抜き出す

フィルター

フィルターでは複雑な条件での絞り込みも可能ですが、さらに絞り込んだ結果を別のシートに書き出すこともできます。

　例えば部員の売上を集計して、各人の集計結果だけを別のシートの表にまとめたいといった場合、フィルターの出力先を対象のシートにすれば、元のシートを編集した場合も即座に対応できます。

抜き出したデータの活用も自由自在

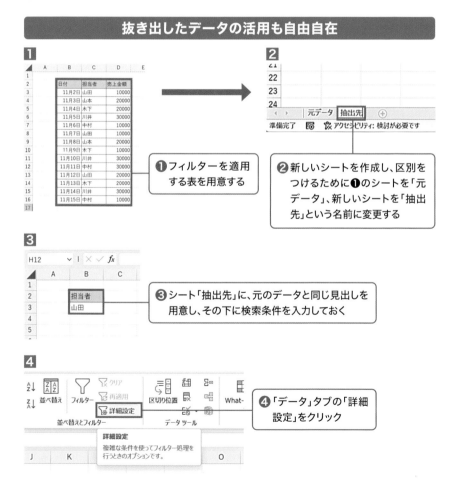

1 フィルターを適用する表を用意する

2 新しいシートを作成し、区別をつけるために**1**のシートを「元データ」、新しいシートを「抽出先」という名前に変更する

3 シート「抽出先」に、元のデータと同じ見出しを用意し、その下に検索条件を入力しておく

4 「データ」タブの「詳細設定」をクリック

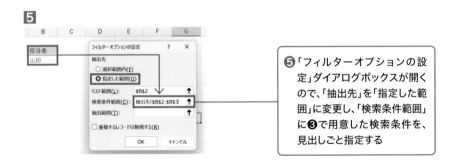

5

⑤「フィルターオプションの設定」ダイアログボックスが開くので、「抽出先」を「指定した範囲」に変更し、「検索条件範囲」に❸で用意した検索条件を、見出しごと指定する

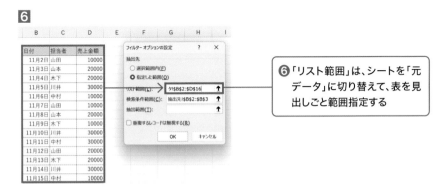

6

⑥「リスト範囲」は、シートを「元データ」に切り替えて、表を見出しごと範囲指定する

7

⑦「抽出範囲」に書き出したい場所を指定する。シート「抽出先」に切り替えて、データの見出しを配置するセルの範囲を指定し、「OK」をクリック

8

「抽出先」シートに検索条件に合わせて抽出されたデータが表として書き出された！

161

見るだけ図解 70

コードが書けなくても大丈夫！
マクロの記録で作業を自動化 マクロ

マクロとは、Excelの作業を自動化するために使う機能。ここでは、「マクロの記録」を使って抽出したデータを別シートに抜き出す行動を自動化してみましょう。

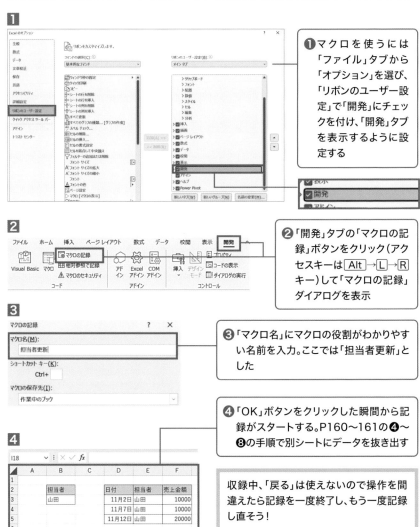

1

❶マクロを使うには「ファイル」タブから「オプション」を選び、「リボンのユーザー設定」で「開発」にチェックを付け、「開発」タブを表示するように設定する

2

❷「開発」タブの「マクロの記録」ボタンをクリック（アクセスキーは Alt → L → R キー）して「マクロの記録」ダイアログを表示

3

❸「マクロ名」にマクロの役割がわかりやすい名前を入力。ここでは「担当者更新」とした

4

❹「OK」ボタンをクリックした瞬間から記録がスタートする。P160〜161の❹〜❽の手順で別シートにデータを抜き出す

収録中、「戻る」は使えないので操作を間違えたら記録を一度終了し、もう一度記録し直そう！

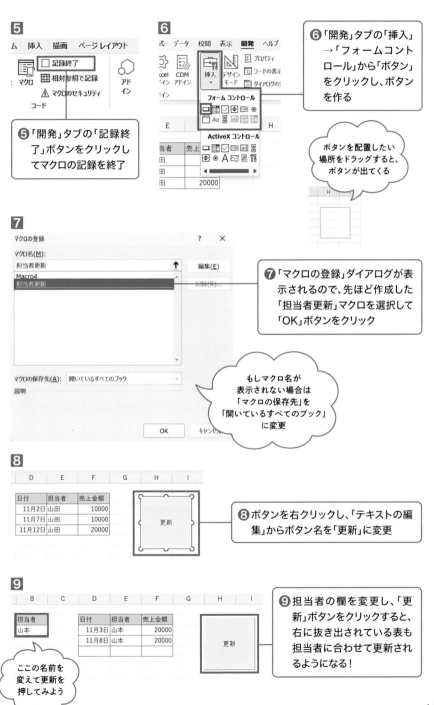

5

「A 挿入 描画 ページ レイアウト

記録終了
相対参照で記録
マクロ ⚠ マクロのセキュリティ
コード

アド
イン

⑤「開発」タブの「記録終了」ボタンをクリックしてマクロの記録を終了

6

式 データ 校閲 表示 **開発** ヘルプ

xcel COM
イン アドイン

挿入
デザイン
モード

プロパティ
コードの表示
ダイアログの

フォーム コントロール

ActiveX コントロール

E

当者 売上

田

田

田 20000

⑥「開発」タブの「挿入」→「フォームコントロール」から「ボタン」をクリックし、ボタンを作る

ボタンを配置したい場所をドラッグすると、ボタンが出てくる

H

7

マクロの登録 ? ×

マクロ名(M):

担当者更新

Macro4
担当者更新

編集(E)

記録(R)...

⑦「マクロの登録」ダイアログが表示されるので、先ほど作成した「担当者更新」マクロを選択して「OK」ボタンをクリック

マクロの保存先(A): 開いているすべてのブック

説明

もしマクロ名が表示されない場合は「マクロの保存先」を「開いているすべてのブック」に変更

OK キャンセ

8

D	E	F	G	H	I
日付	担当者	売上金額			
11月2日	山田	10000			
11月7日	山田	10000			
11月12日	山田	20000			

更新

⑧ボタンを右クリックし、「テキストの編集」からボタン名を「更新」に変更

9

B	C	D	E	F	G	H	I
担当者		日付	担当者	売上金額			
山本		11月3日	山本	20000			
		11月8日	山本	20000			

更新

⑨担当者の欄を変更し、「更新」ボタンをクリックすると、右に抜き出されている表も担当者に合わせて更新されるようになる！

ここの名前を変えて更新を押してみよう

テーブル機能で
ワンランクアップの分析

テーブル

表を作成する際に、きれいにセルの色や書式を設定しても、行や列を追加するたびに設定を切り替えたり、式の範囲を変更したりするのは面倒……。

　「テーブル」は、表の一部をグループ化する機能です。表を「テーブル」に変換しておけば、面倒な作業を自動化できます。データをフィルター処理したり、並べ替えたりするのが容易になるほか、集計列や合計行の利用、さらにデザインの統一もできます。

表よりも便利なテーブル機能

1

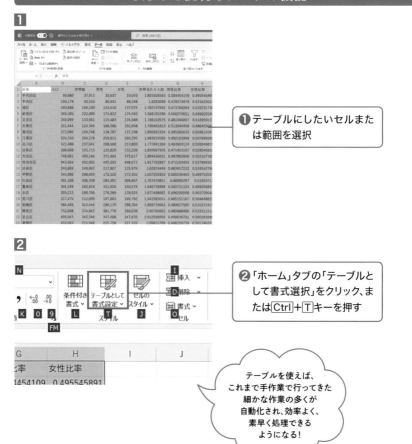

❶ テーブルにしたいセルまたは範囲を選択

2

❷ 「ホーム」タブの「テーブルとして書式選択」をクリック、または Ctrl + T キーを押す

テーブルを使えば、これまで手作業で行ってきた細かな作業の多くが自動化され、効率よく、素早く処理できるようになる！

❸テーブルのスタイルを選択。ショートカットキーの場合はこの操作は省略される

❹「テーブルの作成」ダイアログが表示されるので、先頭の行をヘッダー行にする場合は「先頭行をテーブルの見出しとして使用する」にチェックして「OK」ボタンをクリック

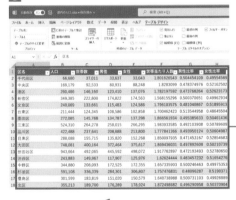

❺テーブルには独自に見出し行を設定できる。テーブルに指定した範囲の先頭行が見出しとなり、先頭行が空欄の場合は「列1」「列2」…と名前が付けられる

カラーやレイアウトを変える時は、「テーブル」を選択して「テーブルデザイン」タブの右端の「テーブルスタイル」から自由に変えられる!

4	港区	260,486	146,160	123,410	137,076	1.782197592	0.473768264	0.526231736
5	新宿区	349,385	222,800	174,822	174,563	1.568155296	0.500370651	0.499629349
6	文京区	240,069	133,661	115,483	124,586	1.796103575	0.481040867	0.518959133
7	台東区	211,444	124,345	108,586	102,858	1.700462423	0.513544958	0.486455042
8	墨田区	272,085	145,768	134,787	137,298	1.866561934	0.495385633	0.504614367
9	江東区	524,310	264,278	258,015	266,295	1.983933585	0.492103908	0.507896092
10								
11	品川区	422,488	237,641	208,688	213,800	1.777841366	0.493950124	0.506049876
12	目黒区	288,088	155,715	135,820	152,268	1.850097935	0.471453167	0.528546833
13	大田区	748,081	400,164	372,464	375,617	1.869436031	0.497892608	0.502107392
14	世田谷区	943,664	492,065	445,592	498,072	1.917762897	0.472193493	0.527806507
15	渋谷区	243,883	149,967	117,907	125,976	1.62624444	0.483457232	0.516542768
16	中野区	344,880	208,093	172,525	172,355	1.657335903	0.500246463	0.499753537

❻行や列を追加した場合、追加した行や列にも自動的にテーブルの
スタイルが適用される。途中に挿入した場合でも、テーブル全体が
整合性の取れるようにスタイルを適用してくれる

56	利島村	327	193	197	130	1.694300518	0.6024465	0.3975535
57	新島村	2441	1163	1204	1237	2.098882201	0.4932405	0.5067595
58	神津島村	1855	808	952	903	2.295792079	0.5132075	0.4867925
59	三宅島三宅村	2273	1377	1269	1004	1.650689906	0.558292	0.441707
60	御蔵島村	323	187	181	142	1.727272727	0.5603715	0.4396285
61	八丈島八丈町	7042	3767	3534	3508	1.869392089	0.5018461	0.4981539
62	青ヶ島村	169	118	102	67	1.43220339	0.6035503	0.3964497
63	小笠原村	2929	1469	1805	1124	1.993873383	0.6162513	0.3837487
64	集計							30.970499

❼テーブルには「集計行」の表示が可能。表のどこかを選択し、「テーブルデザ
イン」タブの「集計行」（アクセスキーは Alt → J → T → T キー）を押す
と、テーブルの最終行の下に行が追加され、一番右の列の合計値が表示さ
れる。いちいち関数を設定する必要がない

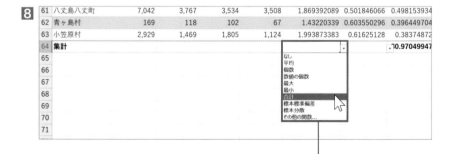

61	八丈島八丈町	7,042	3,767	3,534	3,508	1.869392089	0.501846066	0.498153934
62	青ヶ島村	169	118	102	67	1.43220339	0.603550296	0.396449704
63	小笠原村	2,929	1,469	1,805	1,124	1.993873383	0.61625128	0.38374872
64	集計							0.97049947

なし
平均
個数
数値の個数
最大
最小
合計
標準偏差
標本分散
その他の関数...

❽「集計行」は右端のみにデータが入るが、他の空白セルをクリックして
▼から希望の種類を選べば、追加でデータ表示が可能

テーブルの削除

❶ テーブルを削除する際は「テーブルデザイン」タブの
ツールグループの中の「範囲に変換」をクリック。「は
い」を押せば、テーブルが解除される

でも…
テーブルが解除されても、
背景色や文字色は
テーブルの時のまま！

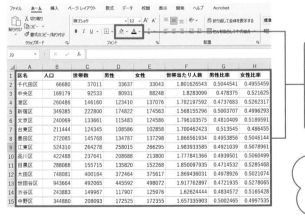

❷ 背景や文字色は、
「ホーム」タブの「塗
りつぶしの色」や
「フォントの色」で手
動で修正しよう！

Alt →H→E→F
キーで
書式のリセットも
できる！

第4章 並べ替え・抽出とデータ分析の見るだけ図解

167

スライサー機能で**必要な項目**だけ**フィルタリング**

テーブル

テーブルで「スライサー」機能を使えば、データをフィルタリングして見やすくすることができます。

「スライサー」機能は、テーブルに対して適用されるフィルター機能。同時に複数の項目を選択して絞り込むことができる便利な機能です。

視覚的に絞り込みを見やすくする

1

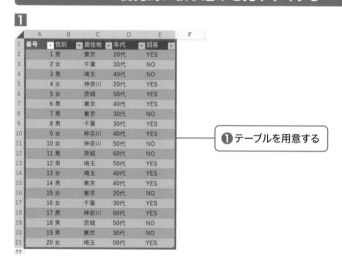

❶テーブルを用意する

2

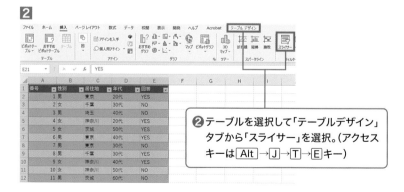

❷テーブルを選択して「テーブルデザイン」タブから「スライサー」を選択。(アクセスキーは Alt → J → T → E キー)

3

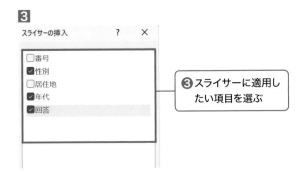

❸スライサーに適用し
たい項目を選ぶ

4

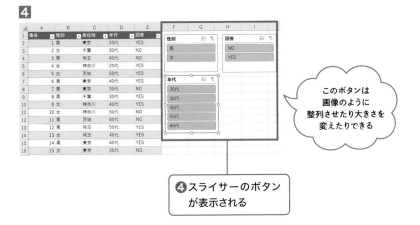

このボタンは
画像のように
整列させたり大きさを
変えたりできる

❹スライサーのボタン
が表示される

5

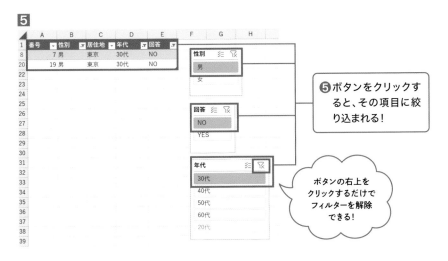

❺ボタンをクリックす
ると、その項目に絞
り込まれる!

ボタンの右上を
クリックするだけで
フィルターを解除
できる!

難しい関数とはオサラバ! 集計するなら小計機能を駆使せよ!

小計

小計機能は、表の中に同じ項目が複数ある場合、項目ごとにまとめて合計数や最大／最小値、平均値などを計算してくれる機能です。

小計機能を使えば、いちいち関数を使わなくても、項目を折りたたんで集計行だけを表示できます。ただし、表全体をコピーすると折りたたんである部分までコピーされるため、「可視セル」を活用します。

必要な部分だけ抽出して利用

1

A	B	C	D	E	F	G
1						
2			第1四半期売上管理表			
3	日付	販売支	品番	単価（円）	数量	売上金額（円）
4	2022/9/3	大阪	A51	45,000	2	90,000
5	2022/9/3	北海道	D11	29,800	3	89,400
6	2022/9/5	広島	U32	112,000	10	1,120,000
7	2022/9/5	広島	U32	112,000	9	1,008,000
8	2022/9/5	大阪	T31	154,500	6	927,000
9	2022/9/7	さいたま	C21	74,500	5	372,500
10	2022/9/7	北海道	U32	112,000	3	336,000
11	2022/9/11	さいたま	T31	154,500	3	463,500
12	2022/9/13	北海道	A51	45,000	4	180,000
13	2022/9/13	北海道	S41	9,800	6	58,800
14	2022/9/13	広島	A52	12,500	10	125,000
15	2022/9/20	北海道	A52	12,500	5	62,500
16	2022/9/20	広島	C21	74,500	7	521,500
17	2022/9/20	さいたま	U32	112,000	9	1,008,000
18	2022/9/23	北海道	U32	112,000	2	224,000
19	2022/9/25	さいたま	C21	74,500	2	149,000
20	2022/9/25	大阪	S41	9,800	5	49,000

❶小計機能を使用する際は、中心となる項目を最初に並べ替えで「昇順」にしておく必要がある。今回は「日付ごと」に「売上金額」の合計をしたいので、「日付」を昇順に並べ替えておく

2

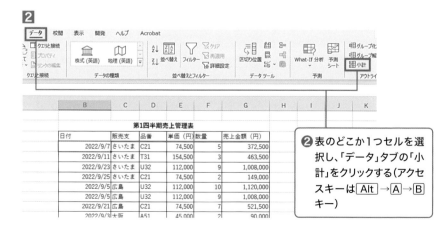

❷表のどこか1つセルを選択し、「データ」タブの「小計」をクリックする（アクセスキーは Alt → A → B キー）

3

合計以外にも平均や個数などいろんな計算ができるよ

❸各種設定をしていく。
「日付」ごとに「売上金額」の「合計」を出す
という設定をし、「OK」をクリック

4

❹これで「小計」完了。
ここの番号で表示の
切り替えができる

日付	販売支	品番	単価（円）	数量	売上金額（円）
2022/9/3 大阪		A51	45,000	2	90,000
2022/9/3 北海道		D11	29,800	3	89,400
2022/9/3 集計					179,400
2022/9/5 広島		U32	112,000	10	1,120,000
2022/9/5 広島		U32	112,000	9	1,008,000
2022/9/5 大阪		T31	154,500	6	927,000
2022/9/5 集計					3,055,000
2022/9/7 さいたま		C21	74,500	5	372,500
2022/9/7 北海道		U32	112,000	3	336,000
2022/9/7 集計					708,500
2022/9/11 さいたま		T31	154,500	3	463,500
2022/9/11 集計					463,500
2022/9/13 大阪		A51	45,000	4	180,000
2022/9/13 北海道		S41	9,800	6	58,800
2022/9/13 大阪		A52•	12,500	10	125,000
2022/9/13 集計					363,800
2022/9/20 北海道		A52	12,500	5	62,500
2022/9/20 広島		C21	74,500	7	521,500
2022/9/20 さいたま		U32	112,000	9	1,008,000
2022/9/20 集計					1,592,000
2022/9/23 北海道		U32	112,000	2	224,000
2022/9/23 集計					224,000
2022/9/25 さいたま		C21	74,500	2	149,000
2022/9/25 大阪		S41	9,800	5	49,000
2022/9/25 集計					198,000
総計					6,784,200

第1四半期売上管理表

5

日付	販売支	品番	単価（円）	数量	売上金額（円）
総計					6,784,200

第1四半期売上管理表

❺①にすると、「総計のみ」
が表示される

6 ②にすると「日付」ごとの「売上金額」の合計が表示される。
今回ほしかったデータだね＾＾

7 ③にすると、元のデータ＋「日付ごとの集計」、さらに一番下に「総計」が表示されている

可視セルのコピーで見えているデータのまんまコピー！

今回ほしかったのは②のデータなので、②に切り替えて表を選択し、コピー。別シートに切り替えて貼り付けをすると…。
コピーしたデータと違うデータが貼り付けられた！

②は実は「グループ化」されて、データが隠れている状態。それをそのままコピーしてしまったので、隠れているデータまで一緒に貼り付けされてしまったということ。それを防ぐのが「可視セル」のコピー

1

❶ 2の表を選択して Alt + ; キーで可視セルモードにし、Ctrl + C でコピーする。すると選択範囲が波線で囲まれる

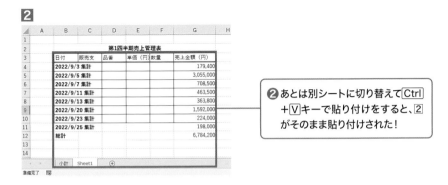

2

❷ あとは別シートに切り替えて Ctrl + V キーで貼り付けをすると、2 がそのまま貼り付けされた!

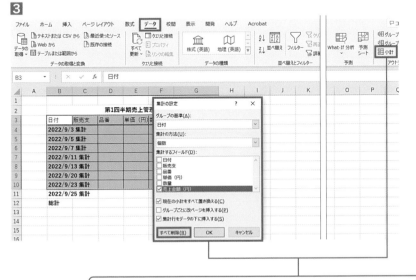

3

❸ 小計を消す時は「データ」タブの「小計」から「すべて削除」を押すだけ!

ピボットテーブルで**必要な**データのみを集計

ピボットテーブル

データ分析のための強力なツールである「ピボットテーブル」を使えば、大量の
データをパターン化しての比較や、傾向をつかむのが容易になります。

「ピボットテーブル」は、表の中から任意の項目を抜き出し、別のテーブルに書き出す機能
です。例えば支店ごとの売上、商品名ごとの金額、取引先ごとの利益など、項目を組み合わ
せることで、まったく違った視点からの分析が可能になります。

ピボットテーブルを挿入してドラッグだけでデータ分析

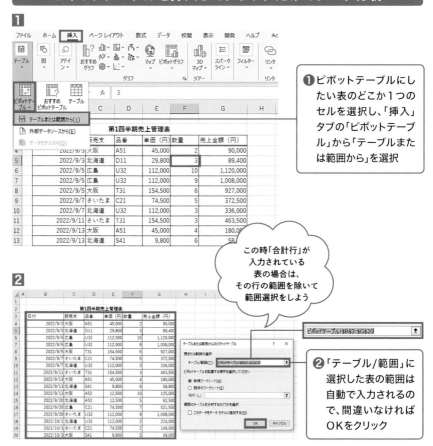

❶ピボットテーブルにし
たい表のどこか1つの
セルを選択し、「挿入」
タブの「ピボットテーブ
ル」から「テーブルまた
は範囲から」を選択

この時「合計行」が
入力されている
表の場合は、
その行の範囲を除いて
範囲選択をしよう

❷「テーブル/範囲」に
選択した表の範囲は
自動で入力されるの
で、間違いなければ
OKをクリック

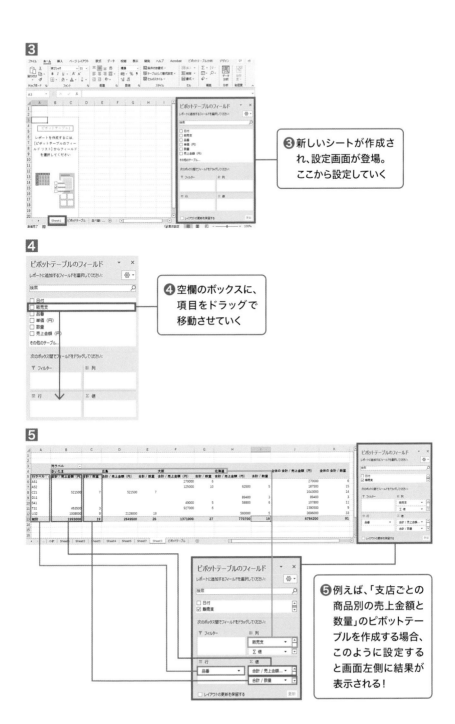

3

❸新しいシートが作成さ
れ、設定画面が登場。
ここから設定していく

4

❹空欄のボックスに、
項目をドラッグで
移動させていく

5

❺例えば、「支店ごとの
商品別の売上金額と
数量」のピボットテー
ブルを作成する場合、
このように設定する
と画面左側に結果が
表示される!

175

フィールド設定の画面のカスタマイズ

❶設定画面の出し入れは「ピボットテーブル
分析」タブの「表示」エリアから可能

❷フィールドと、それを入れるエリアのサイ
ズ変更はここから。
フィールドを移動させる時PCの画面が小
さくて見にくくなりがちなので、これ知って
おくとやりやすい＾＾

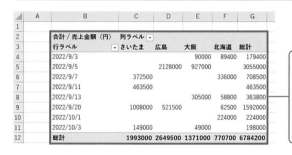

	A	B	C	D	E	F	G
1							
2		合計 / 売上金額（円）	列ラベル				
3		行ラベル	さいたま	広島	大阪	北海道	総計
4		2022/9/3			90000	89400	179400
5		2022/9/5		2128000	927000		3055000
6		2022/9/7	372500			336000	708500
7		2022/9/11	463500				463500
8		2022/9/13			305000	58800	363800
9		2022/9/20	1008000	521500		62500	1592000
10		2022/10/1				224000	224000
11		2022/10/3	149000		49000		198000
12		総計	1993000	2649500	1371000	770700	6784200

このピボットテーブルは「売上金額」の「合計」を表示している。
これを他の計算方法に変えることが可能

1

●データの集計方法の変更

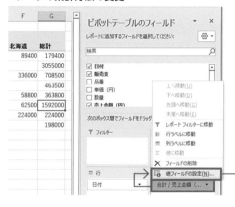

❶「値」に入っているフィールドをクリックして「値フィールドの設定」をクリック

2

❷「集計方法」タブから、集計に使用する計算の種類が選択できる。売上金額の「合計」や「平均」、「最大値」など、いろんな集計方法が選べる

❸「平均」にすると各
データの「平均値」が
表示された！

❹
●計算の種類の変更方法

自由にデータを
切り替えてみよう！

❹ ❶の手順のあと、「計算の種類」タブ
に切り替えると、「比率」などの設定
ができる。
例えば「列集計に対する比率」を選択
した場合、列の中で何%を占めるか
が表示される

「表示形式」から、単位や小数点以下の
表示、カンマ区切り、日付など、表示が変
えられる

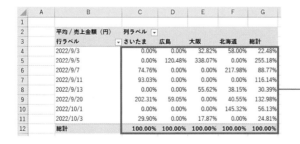

「列ごとの比率の平均」
に設定すると、割合が
はっきりわかる

データソースの変更

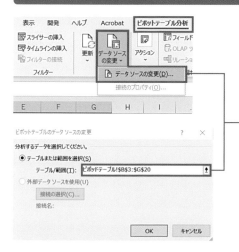

最初に選択した抽出元のデータ範囲を変更する際はピボットテーブルの上をどこか1つ選択し、「ピボットテーブル分析」タブの「データソースの変更」→「データソースの変更」と進み、テーブル/範囲の入力を書き換える

データの更新

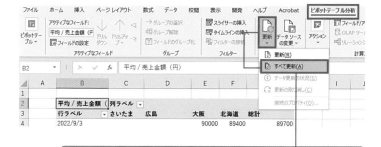

・元データの修正
・元データに新たなデータの追加
など、選択した範囲の情報が書き換わったら、「ピボットテーブル分析」タブの「更新」→「すべて更新」から必ず「更新」をかけよう！ 自動でデータは書き換わらないので注意！

●フィルター

項目ごとに設置されている▼を
押せば、フィルターができる。
「昇順/降順」の並べ替えもここか
らできる

●並べ替え

	A	B	C	D	E	F	G	H
1								
2		平均 / 売上金額（	列ラベル ▼					
3		行ラベル ▼	さいたま	広島	大阪	北海道	総計	
4		2022/9/3			90000	89400	89700	
5		2022/9/5		1064000	927000		1018333.333	
6		2022/9/7	372500			336000	354250	
7		2022/9/11	463500				463500	
8		2022/9/13			152500	58800	121266.6667	
9		2022/9/20	1008000	521500		62500	530666.6667	
10		2022/10/1				224000	224000	
11		2022/10/3	149000		49000		99000	
12		総計	498250	883166.6667	274200	154140	399070.5882	
13								

細かい並べ替えは、データを選択して、緑の淵にカーソルを合わせて
ドラッグすれば、1つずつ好きな位置に並べ替えできる

●グループ化

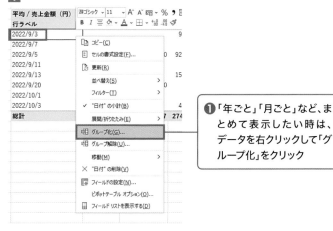

❶「年ごと」「月ごと」など、まとめて表示したい時は、データを右クリックして「グループ化」をクリック

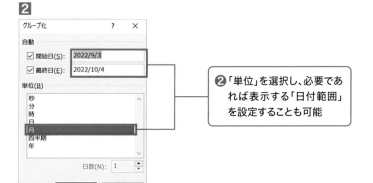

❷「単位」を選択し、必要であれば表示する「日付範囲」を設定することも可能

❸「月」ごとの表示にしたら、このようになる。
これなら、「年代を10単位でグループ化し、20〜60代まで表示」といった集計も可能になるね!

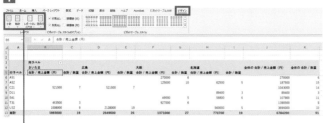

❶ 取って出しのデータではこのように項目が重なって読みにくいので、ピボットテーブルを選択して、「デザインタブ」の「レイアウト」エリアから修正する

❷ 「レポートのレイアウト」から「表形式で表示」を選択。「B3」の「列ラベル」が「販売支店」の項目に変わり、「罫線」も引かれ、表に早変わり！

❸ 「総計」から「列のみ集計を行う」を選べば、「行の合計」欄が非表示になる。「小計」も同じく、集計列／行を選択できる

5章

わかりやすい
グラフ作成の
見るだけ図解

75

わかりやすいグラフ作成の
基本をマスター

グラフ作成

グラフには凡例や目盛線、データラベルなど、グラフを見やすくするためのさまざまな機能が用意されており、見た目からも資料の説得力を高められます。

グラフはこうやって構成されている！

1

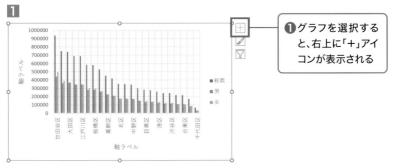

❶グラフを選択すると、右上に「＋」アイコンが表示される

2

軸	縦軸と横軸の表示を選択。軸を表示すると数字や項目名も表示される
軸ラベル	縦軸と横軸の説明を表示
グラフタイトル	グラフ全体のタイトルを表示
データラベル	グラフの各ポイントの数値を表示
データテーブル	グラフの数値を表形式で表示
誤差範囲	各数字が取りうる誤差の範囲をエラーバーで表示
目盛線	縦軸、横軸に目安となる目盛線を表示する
凡例	グラフが何を表しているかの凡例を表示する
近似曲線	各ポイントを滑らかな曲線でつなぐ近似曲線を表示する

❷「＋」アイコンをクリックするとグラフに表示される要素のリストが表示され、チェックマークで表示する項目が選択できる

各項目の右端の「＞」をクリックすると、オプションも表示されます
→さらに細かい調整は「その他のオプション」から！

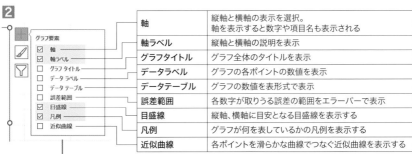

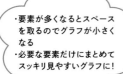

・要素が多くなるとスペースを取るのでグラフが小さくなる
・必要な要素だけにまとめてスッキリ見やすいグラフに！

グラフ作成の基本
グラフの選び方ポイント
グラフ作成

データを視覚的に表現するのがグラフの役目。Excelには多彩なグラフが用意されていますが、目的に沿った適切なグラフを選ぶのがポイントです。

グラフの選び方

●縦棒グラフ

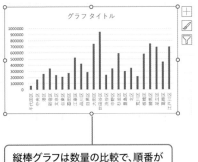

縦棒グラフは数量の比較で、順番が重要でない場合に使う

●横棒グラフ

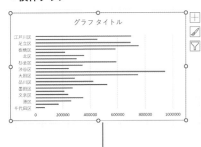

横棒グラフは期間を表す場合や、数量比較で縦棒グラフにすると項目名が長い場合に使う

●折れ線グラフ

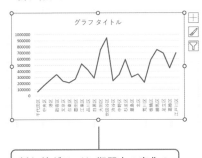

折れ線グラフは、期間内の変化の傾向を表すのに使う

●円グラフ

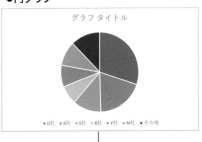

円グラフは全体の中での項目の割合を示すのに使う。項目数が多すぎる場合には不向き

Excelグラフの基本は棒グラフ
ショートカットで変換！

グラフ作成

何も指定せずにグラフを作ると、デフォルトで選ばれるほど、Excelにおけるグラフの基本ともいえるのが「棒グラフ」です。

Alt + F1

※一部のキーボードではFnキーが必要な場合があります

棒グラフの挿入

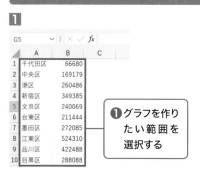

❶グラフを作りたい範囲を選択する

❷「挿入」タブから「縦棒/横棒グラフの挿入」を選択。2D／3Dや縦棒／横棒からグラフを選ぶ。または Alt ＋ F1 キーを押すと、一発で変換できる！

縦棒グラフが作成された！

186

棒グラフを別シートで表示して膨大なデータも見やすく！

グラフ作成

グラフを作成すると、表と同じシート上に作成されますが、巨大な表だと作業が不便になることも。そんな時はグラフだけ別のシートにまとめて作成できます。

グラフを別シートに表示

1

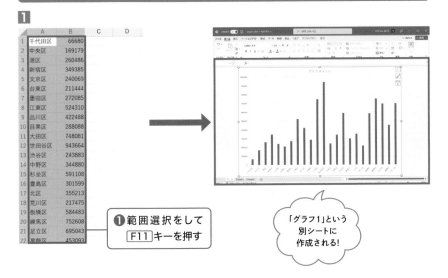

❶範囲選択をして [F11]キーを押す

「グラフ1」という別シートに作成される！

棒グラフ以外のグラフをよく作るなら…

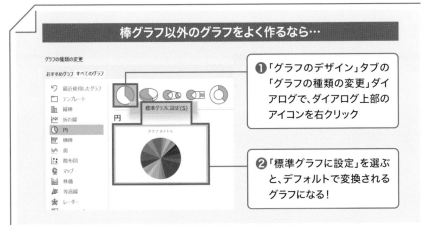

❶「グラフのデザイン」タブの「グラフの種類の変更」ダイアログで、ダイアログ上部のアイコンを右クリック

❷「標準グラフに設定」を選ぶと、デフォルトで変換されるグラフになる！

第5章 わかりやすいグラフ作成の見るだけ図解

データの不足があっても大丈夫！
折れ線グラフの挿入

見るだけ図解 79

グラフ作成

連続したデータの変化を見るのに最適なのが「折れ線グラフ」です。時間と数量を軸にしたデータを比較する際に活用しましょう。

データが不足している部分までカバー

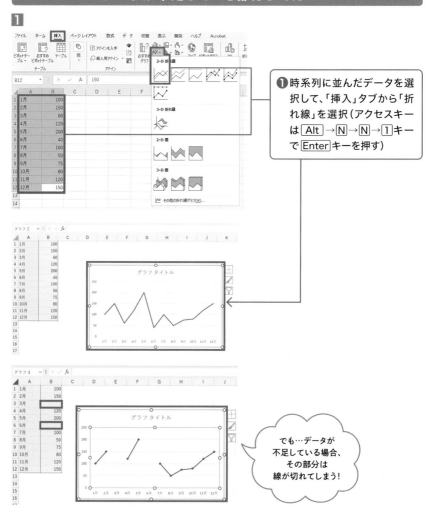

❶時系列に並んだデータを選択して、「挿入」タブから「折れ線」を選択（アクセスキーは [Alt]→[N]→[N]→[1]キーで [Enter]キーを押す）

でも…データが不足している場合、その部分は線が切れてしまう！

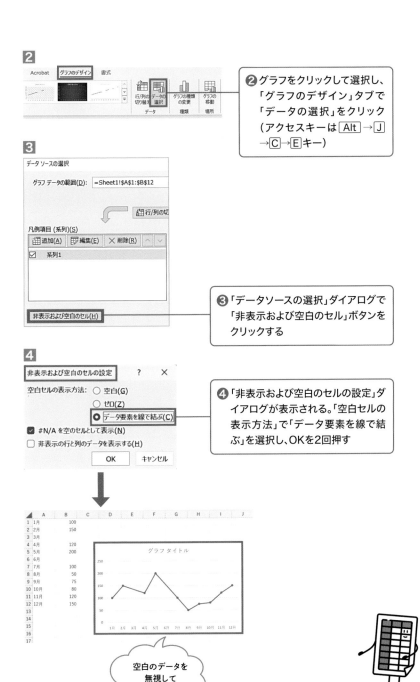

2

❷グラフをクリックして選択し、「グラフのデザイン」タブで「データの選択」をクリック（アクセスキーは Alt → J → C → E キー）

3

❸「データソースの選択」ダイアログで「非表示および空白のセル」ボタンをクリックする

4

❹「非表示および空白のセルの設定」ダイアログが表示される。「空白セルの表示方法」で「データ要素を線で結ぶ」を選択し、OKを2回押す

空白のデータを無視して線がつながった！

円グラフの系列を
ひとまとめにしてスッキリ！ グラフ作成

複数のデータの割合を比較する際にわかりやすいのが「円グラフ」です。見やすくするコツは、値が小さい項目はまとめて「その他」にしてしまうことです。

「その他」を活用して見やすい円グラフを作成

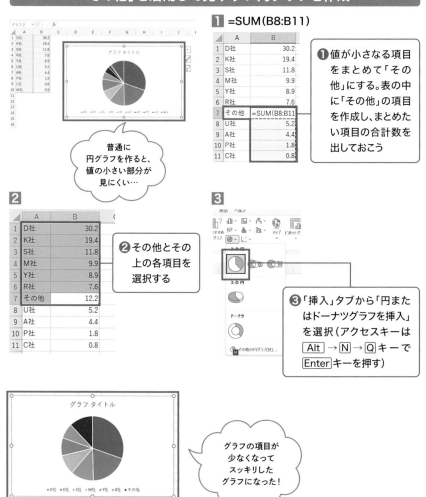

1 =SUM(B8:B11)

	A	B
1	D社	30.2
2	K社	19.4
3	S社	11.8
4	M社	9.9
5	Y社	8.9
6	R社	7.6
7	その他	=SUM(B8:B11
8	U社	5.2
9	A社	4.4
10	P社	1.8
11	C社	0.8

❶値が小さなる項目をまとめて「その他」にする。表の中に「その他」の項目を作成し、まとめたい項目の合計数を出しておこう

普通に円グラフを作ると、値の小さい部分が見にくい…

2

	A	B	C
1	D社	30.2	
2	K社	19.4	
3	S社	11.8	
4	M社	9.9	
5	Y社	8.9	
6	R社	7.6	
7	その他	12.2	
8	U社	5.2	
9	A社	4.4	
10	P社	1.8	
11	C社	0.8	

❷その他とその上の各項目を選択する

3

❸「挿入」タブから「円またはドーナツグラフを挿入」を選択（アクセスキーは Alt → N → Q キーで Enter キーを押す）

グラフの項目が少なくなってスッキリしたグラフになった！

190

2種類のグラフを合わせる
複合グラフを作ってみよう
グラフ作成

折れ線グラフと棒グラフなど、2種類のグラフを組み合わせると、データを多面的に表すことができます。Excelならこうした「複合グラフ」も簡単に作れます。

複合グラフの作り方

1

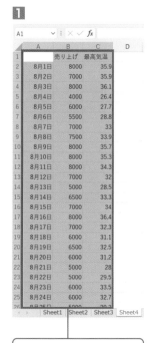

2

❷「挿入」タブから「複合グラフの挿入」を選び(アクセスキーは Alt → N → S → D キー)組み合わせグラフを選ぶ。ここでは「集合縦棒・第2軸の折れ線」を選んだ

3

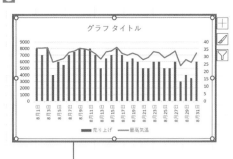

❶種類が違う2つ以上のデータを複合できる。ここでは売上と気温のデータを用意

❸縦棒グラフと折れ線グラフを組み合わせたグラフが作成された! 左側に棒グラフの縦軸が、右側に折れ線グラフの縦軸が表示される

気温と売上の相関関係がよくわかるね!

グラフの見た目を
手軽に揃えて映え！

グラフ作成

グラフは視覚的に表現するものだけに、見た目を整えるのも説得力を高める大事な要素です。Excelでは手軽に見た目をカスタマイズ可能です。

瞬時にグラフを整えるクイックレイアウト

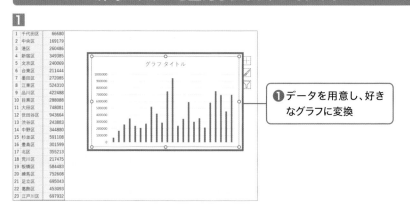

❶ データを用意し、好きなグラフに変換

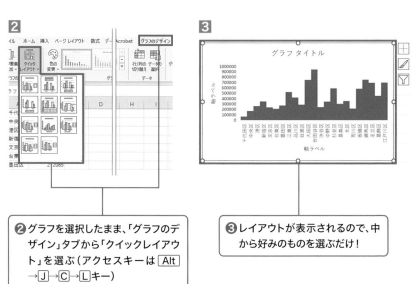

❷ グラフを選択したまま、「グラフのデザイン」タブから「クイックレイアウト」を選ぶ（アクセスキーは Alt →J→C→L キー）

❸ レイアウトが表示されるので、中から好みのものを選ぶだけ！

グラフの並び順だけを変えて わかりやすさを追求！

見るだけ図解 83

グラフ作成

横棒グラフを作成すると、表の項目の並び順とグラフの並び順が逆になってしまいます。わかりやすいように、上から順に並ぶように変更しましょう。

グラフの並び順を変える

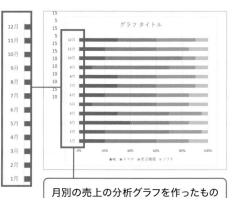

月別の売上の分析グラフを作ったものの、上から下へ1月から順に並べたいのに、逆になってしまっている

1

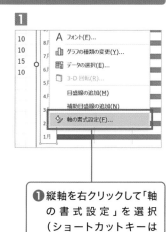

❶ 縦軸を右クリックして「軸の書式設定」を選択（ショートカットキーは Ctrl + 1 キー）

2

❷「軸の書式設定」ダイアログが表示されるので、「軸のオプション」の「表示単位」→「軸を反転する」をチェックし、「横軸との交点」→「軸の最大値」にする

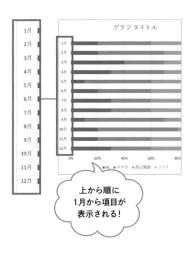

上から順に1月から項目が表示される！

グラフの名称は
とにかくわかりやすいものに！

グラフ作成

グラフに表示する各データの名称は基本的に表の見出しになりますが、グラフによっては変更したいこともあります。そんな時に便利なのがこの機能！

グラフの項目名を変更

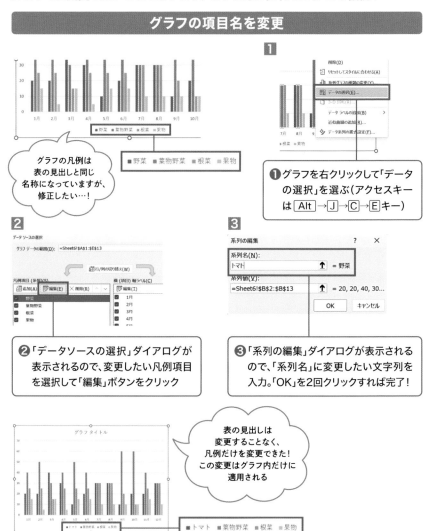

グラフの凡例は表の見出しと同じ名称になっていますが、修正したい…！

1 グラフを右クリックして「データの選択」を選ぶ（アクセスキーは Alt → J → C → E キー）

2 「データソースの選択」ダイアログが表示されるので、変更したい凡例項目を選択して「編集」ボタンをクリック

3 「系列の編集」ダイアログが表示されるので、「系列名」に変更したい文字列を入力。「OK」を2回クリックすれば完了！

表の見出しは変更することなく、凡例だけを変更できた！この変更はグラフ内だけに適用される

イメージどおりのグラフに あっという間に変換！

グラフ作成

一度グラフを作ってみたものの、イメージと違った場合でも、簡単に種類を変更することができます。

グラフの種類を変更

1

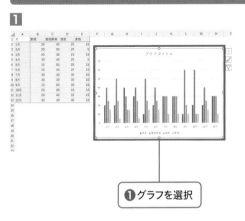

❶ グラフを選択

2

❷ 「グラフのデザイン」タブから「グラフの種類の変更」をクリック（アクセスキーは Alt →J→C→C キー）

3

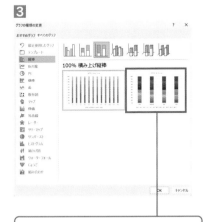

❸ 「グラフの種類の変更」ダイアログが表示されるので、変更したいグラフを選択して「OK」ボタンをクリック

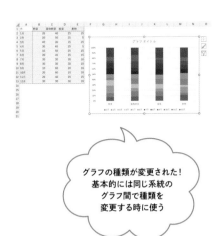

グラフの種類が変更された！基本的には同じ系統のグラフ間で種類を変更する時に使う

第5章

わかりやすいグラフ作成の見るだけ図解

見るだけ
図解
86

Wordに貼り付けるグラフを連動させる

グラフ連動

Excelで作成したグラフを書き出して他のソフトでも利用する場合、元のデータを書き換えても、自動的に書き出した先に反映されるようにしよう！

グラフを他のアプリでも連動

 1

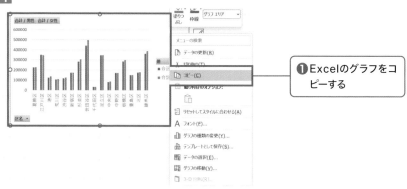

❶Excelのグラフをコ
ピーする

2

3

❷Word側で表を貼り付けたい場所をクリックして「ホーム」タブの「貼り付け」→「形式を選択して貼り付け」を選ぶ（アクセスキーは [Alt]→[H]→[V]→[S]キー）

❸「形式を選択して貼り付け」ダイアログが表示されるので「リンク貼り付け」をクリックして「OK」ボタンをクリック

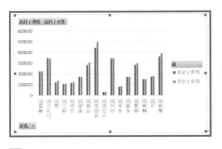

Wordに表が
貼り付けられた！

4

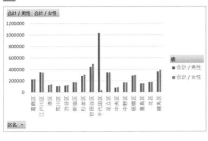

❹リンク貼り付けと通常の貼り付
けの違いは、元のデータを変更
した時に現れる

5

データの更新前

	A	B	C
1	区名	合計/男性	合計/女性
2	葛飾区	225758	227335
3	江戸川区	351327	346605
4	港区	123410	137076
5	荒川区	107683	109792
6	渋谷区	117907	125976
7	新宿区	174822	174563
8	杉並区	284301	306807
9	世田谷区	445592	498072
10	千代田区	33637	33043
11	足立区	347408	347635
12	中央区	80931	88248

データの更新後

	A	B	C
1	区名	合計/男性	合計/女性
2	葛飾区	225758	227335
3	江戸川区	351327	346605
4	港区	123410	137076
5	荒川区	107683	109792
6	渋谷区	117907	125976
7	新宿区	174822	174563
8	杉並区	284301	306807
9	世田谷区	445592	498072
10	千代田区	800000	33043
11	足立区	347408	347635
12	中央区	80931	88248

リンクしたグラフは
Excelの値が更新されると、
Wordに貼り付けた
グラフの値も自動で
変わった！

貼り付けただけのグラフ

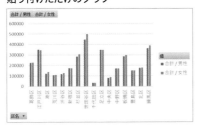

リンクしたグラフ

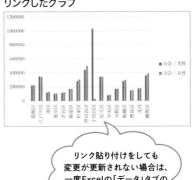

リンク貼り付けをしても
変更が更新されない場合は、
一度Excelの「データ」タブの
「すべて更新」を
押してみて！

表組をフォローするために
図形やメモを挿入！

図形

Excelでは図形を挿入することもできます。図形は拡大縮小や回転しても劣化せず、表の一部を目立たせたり、セル設定では難しい修飾に利用したりできます。

図形の挿入

1

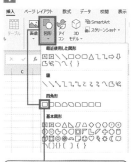

❶「挿入」タブの「図形」から図形を選ぶ

2

❷ドラッグすると図形が挿入される。図形はマウスで自由に動かしたり、拡大／縮小／回転したり、枠線や内部の塗りつぶしなどを設定できる

●サイズの変更

「○」の部分をドラッグ。Shift キーをドラッグすれば、倍率を維持してサイズ変更できる

●位置の変更

「Alt」キーを押しながらドラッグすると、目盛りにぴったり合わせて配置できる

●回転

「↻」このマークをドラッグ、または「Alt」＋↑↓→←キーを押す

●図形の中に文字を入れる

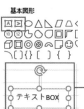

テキストボックス
❶の「基本図形」から「テキストボックス」を選ぶ。ドラッグで図を描くと、図の中にカーソルが入り、文字の入力が可能に！

その他の図
右クリックし、「テキストの編集」をクリックすると、図形にカーソルが入る

●カラーの変更

図を選択し、「図の書式」タブから「枠線なし」や「背景なし」も選べる

値の関連性を ビジュアル化する

見るだけ図解 88

グラフ作成

気温と売上など、2つの値の間に相関関係があるかどうかを判断したい時に使うのが「散布図」です。データを素早く分析するのに便利です。

散布図の作り方

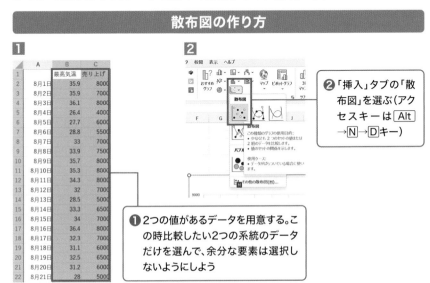

1 2つの値があるデータを用意する。この時比較したい2つの系統のデータだけを選んで、余分な要素は選択しないようにしよう

2「挿入」タブの「散布図」を選ぶ(アクセスキーは Alt →N→D キー)

第5章 わかりやすいグラフ作成の見るだけ図解

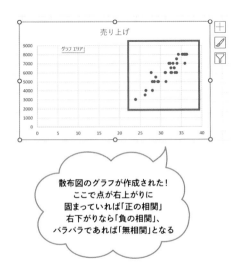

散布図のグラフが作成された！ここで点が右上がりに固まっていれば「正の相関」右下がりなら「負の相関」、バラバラであれば「無相関」となる

Memo

正の相関
要因が大きいほど特性も大きくなる

負の相関
要因が大きいほど特性が小さくなる

無相関
要因と特性の間に関係がない

199

地図をグラフとして表したい

グラフ作成

国別や都道府県別など、地域ごとの差を表したい時、Excelでは「塗り分けマップ」を使ったグラフィカルな表現が可能です。

地図をグラフとして表す

1

❶ 都道府県または国名の入った表を用意

うまくできない時はリストを昇順に並べ替えてみて！

2

❷「挿入」タブの「マップ」→「マップグラフ」→「塗り分けマップ」を選択（アクセスキーは Alt → N → M2 キー）

3

❸ 地図上にデータに合わせて塗り分けられたグラフが表示される。主に人口分布など、色の濃淡で見分けやすいデータの表示に使用する

4

❹ 塗り分けマップは世界地図と日本全土の地図しか用意されていないため、市町村などのデータは利用できないので注意！

6章

実践編
売上台帳と
採用管理シートを
作ってみよう

売上台帳の作成から分析まで
実際にやってみよう

この章では実践編として、これまで紹介してきたテクニックや機能を使って、実用的なExcelの書類を作成してみよう。

　まずは商店やSOHOなどでも利用できる売上台帳を作ってみます。

　売上台帳はその名のとおり、月毎に売上のあった日付、取引先、取引内容、取引額を記録していくものです。

　単純な売上台帳であれば非常にシンプルに作れますが、今回は顧客や商品も同じExcelのブック内で管理し、番号と数量を入力するだけで売上台帳として必要な要素が作成されるというものを作ってみます。さらに売上を分析し、必要な部分が変更されないようロックもかけてみましょう。

これを作ります！

	A	B	C	D	E	F	G	H	I	J
1				2022年4月売上台帳						
2	受注日	顧客コード	顧客名	商品ID	商品名	メーカーID	メーカー名	単価	数量	売上金額
3	4/1	CU-001	(株) ○○	A-001	食品A	MA-001	花丸食品	¥100	3	¥300
4	4/1	CU-002	(株) △△	A-002	食品B	MA-002	美味商事	¥150	3	¥450
5	4/2	CU-003	(株) ××	A-003	食品C	MA-001	花丸食品	¥200	4	¥800
6	4/2	CU-004	(有) ○○	B-001	飲料A	MA-002	美味商事	¥400	5	¥2,000
7	4/2	CU-005	(有) △△	B-002	飲料B	MA-001	花丸食品	¥130	3	¥390
8	4/3	CU-006	(有) ××	B-003	飲料C	MA-002	美味商事	¥250	2	¥500
9	4/3	CU-001	(株) ○○	A-001	食品A	MA-001	花丸食品	¥100	4	¥400
10	4/4	CU-002	(株) △△	A-002	食品B	MA-002	美味商事	¥150	3	¥450
11	4/5	CU-003	(株) ××	A-003	食品C	MA-001	花丸食品	¥200	5	¥1,000
12	4/5	CU-004	(有) ○○	B-001	飲料A	MA-002	美味商事	¥400	1	¥400
13	4/5	CU-005	(有) △△	B-002	飲料B	MA-001	花丸食品	¥130	3	¥390
14	4/6	CU-006	(有) ××	B-003	飲料C	MA-002	美味商事	¥250	5	¥1,250
15			合計						41	¥8,330
16										
17							シートの保護			保護の解除
18										

マクロを使ったボタン作成は225ページ参照！

頻繁に入力する顧客や商品のデータはあらかじめリストに作成し、これを参照するようにします。

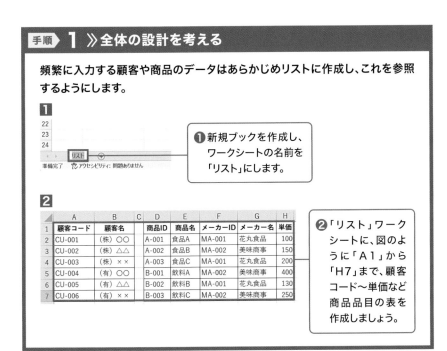

1

| | | ❶新規ブックを作成し、ワークシートの名前を「リスト」にします。 |

22
23
24

リスト

準備完了　アクセシビリティ: 問題ありません

2

	A	B	C	D	E	F	G	H
1	顧客コード	顧客名		商品ID	商品名	メーカーID	メーカー名	単価
2	CU-001	（株）○○		A-001	食品A	MA-001	花丸食品	100
3	CU-002	（株）△△		A-002	食品B	MA-002	美味商事	150
4	CU-003	（株）××		A-003	食品C	MA-001	花丸食品	200
5	CU-004	（有）○○		B-001	飲料A	MA-002	美味商事	400
6	CU-005	（有）△△		B-002	飲料B	MA-001	花丸食品	130
7	CU-006	（有）××		B-003	飲料C	MA-002	美味商事	250

❷「リスト」ワークシートに、図のように「A1」から「H7」まで、顧客コード〜単価など商品品目の表を作成しましょう。

手順 2 》顧客と商品のリストの作成

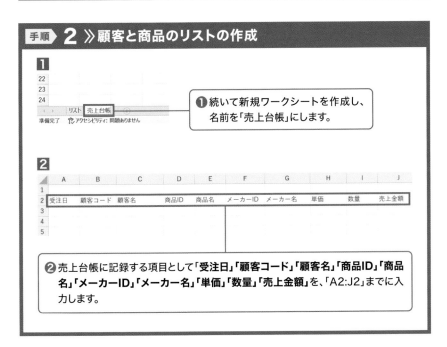

1

22
23
24

リスト　売上台帳

準備完了　アクセシビリティ: 問題ありません

❶続いて新規ワークシートを作成し、名前を「売上台帳」にします。

2

	A	B	C	D	E	F	G	H	I	J
1										
2	受注日	顧客コード	顧客名		商品ID	商品名	メーカーID	メーカー名	単価	数量	売上金額
3										
4										
5										

❷売上台帳に記録する項目として「**受注日**」「**顧客コード**」「**顧客名**」「**商品ID**」「**商品名**」「**メーカーID**」「**メーカー名**」「**単価**」「**数量**」「**売上金額**」を、「A2:J2」までに入力します。

入力手順を簡単にするため、「顧客コード」を入力すると「顧客名」が自動的に
入力されるようにします。

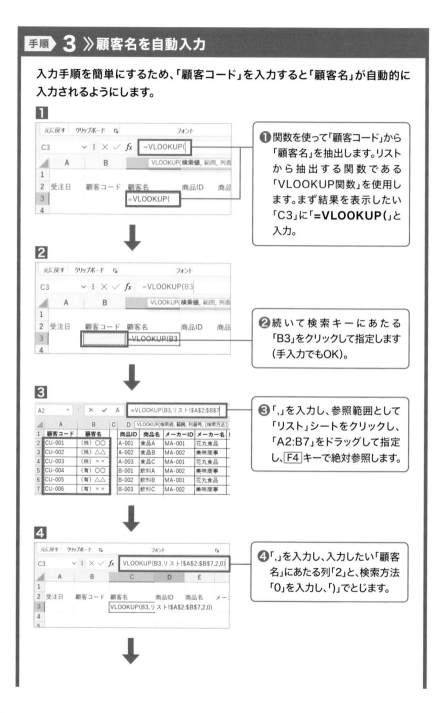

1

❶関数を使って「顧客コード」から「顧客名」を抽出します。リストから抽出する関数である「VLOOKUP関数」を使用します。まず結果を表示したい「C3」に「**=VLOOKUP(**」と入力。

2

❷続いて検索キーにあたる「B3」をクリックして指定します（手入力でもOK）。

3

❸「,」を入力し、参照範囲として「リスト」シートをクリックし、「A2:B7」をドラッグして指定し、F4キーで絶対参照します。

4

❹「,」を入力し、入力したい「顧客名」にあたる列「2」と、検索方法「0」を入力し、「)」でとじます。

5

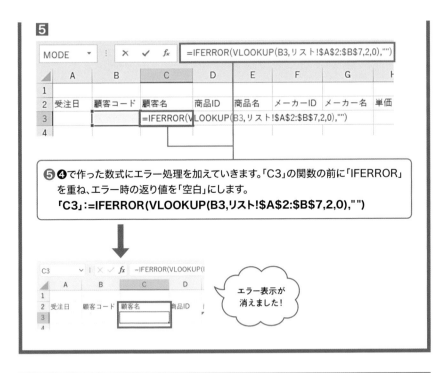

⑤❹で作った数式にエラー処理を加えていきます。「C3」の関数の前に「IFERROR」
を重ね、エラー時の返り値を「空白」にします。
「C3」:=IFERROR(VLOOKUP(B3,リスト!$A$2:$B$7,2,0)," ")

> エラー表示が
> 消えました！

手順 4 ≫商品IDから情報を自動入力

「商品ID」を入力すると「商品名」「メーカーID」「メーカー名」「単価」が自動的
に入力されるようにします。

1

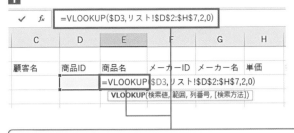

❶「E3」を選択し、ここに「D3」の商品IDを検索キーとして、「リスト」ワークシートか
ら商品リスト**「D2:H7」**を参照し、列「2」を抜き出すようにします。手順3と同様に
「VLOOKUP」関数を使います。なお、今回は他の列にもコピーしていくので、検索
キー「D3」の「D」のみずれないように複合参照にします。
「E3」:=VLOOKUP($D3,リスト!$D$2:$H$7,2,0)

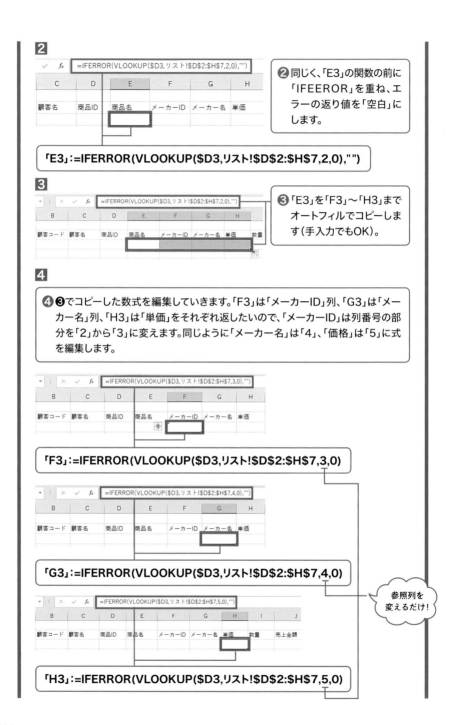

2

`=IFERROR(VLOOKUP($D3,リスト!$D$2:$H$7,2,0),"")`

C	D	E	F	G	H
顧客名	商品ID	商品名	メーカーID	メーカー名	単価

2 同じく、「E3」の関数の前に「IFEEROR」を重ね、エラーの返り値を「空白」にします。

「E3」:=IFERROR(VLOOKUP($D3,リスト!$D$2:$H$7,2,0),"")

3

`=IFERROR(VLOOKUP($D3,リスト!$D$2:$H$7,2,0),"")`

B	C	D	E	F	G	H	
顧客コード	顧客名	商品ID	商品名	メーカーID	メーカー名	単価	数量

3 「E3」を「F3」〜「H3」までオートフィルでコピーします(手入力でもOK)。

4

4 3でコピーした数式を編集していきます。「F3」は「メーカーID」列、「G3」は「メーカー名」列、「H3」は「単価」をそれぞれ返したいので、「メーカーID」は列番号の部分を「2」から「3」に変えます。同じように「メーカー名」は「4」、「価格」は「5」に式を編集します。

`=IFERROR(VLOOKUP($D3,リスト!$D$2:$H$7,3,0),"")`

B	C	D	E	F	G	H
顧客コード	顧客名	商品ID	商品名	メーカーID	メーカー名	単価

「F3」:=IFERROR(VLOOKUP($D3,リスト!$D$2:$H$7,3,0),"")

`=IFERROR(VLOOKUP($D3,リスト!$D$2:$H$7,4,0),"")`

B	C	D	E	F	G	H
顧客コード	顧客名	商品ID	商品名	メーカーID	メーカー名	単価

「G3」:=IFERROR(VLOOKUP($D3,リスト!$D$2:$H$7,4,0),"")

参照列を変えるだけ!

`=IFERROR(VLOOKUP($D3,リスト!$D$2:$H$7,5,0),"")`

B	C	D	E	F	G	H	I	J
顧客コード	顧客名	商品ID	商品名	メーカーID	メーカー名	単価	数量	売上金額

「H3」:=IFERROR(VLOOKUP($D3,リスト!$D$2:$H$7,5,0),"")

206

5

⑤「数量」を入力すると「売上金額」が自動的に入力される
ようにします。「J3」を選択し、ここに「H3」の単価を参照
して、「I3」の数量を掛けて売上金額を算出します。
=H3*I3

6

⑥「J3」にも、「IFERROR」関数を重ね、エラーの返り値を
「空白」にします。
「J3」:=IFERROR(H3*I3,"")

7

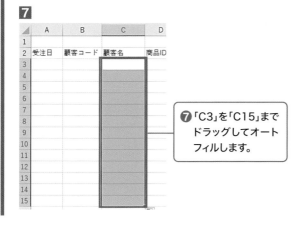

⑦「C3」を「C15」まで
ドラッグしてオート
フィルします。

8

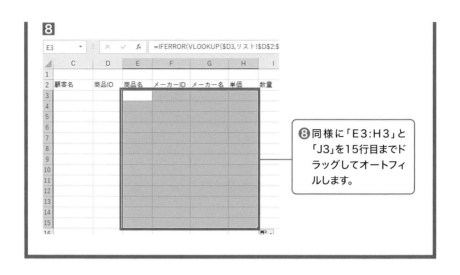

⑧同様に「E3:H3」と「J3」を15行目までドラッグしてオートフィルします。

手順 5 ≫ 表としての体裁を整える

1

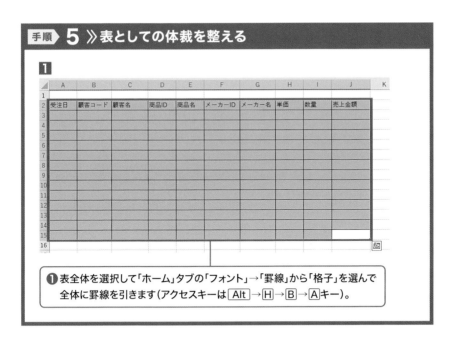

❶ 表全体を選択して「ホーム」タブの「フォント」→「罫線」から「格子」を選んで
全体に罫線を引きます（アクセスキーは Alt → H → B → A キー）。

手順 6 ≫ きちんと機能しているか表組のチェック

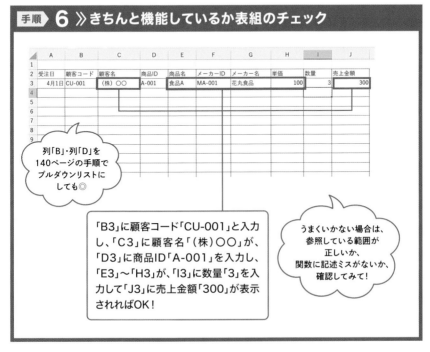

列「B」・列「D」を
140ページの手順で
プルダウンリストに
しても◎

「B3」に顧客コード「CU-001」と入力
し、「C3」に顧客名「（株）〇〇」が、
「D3」に商品ID「A-001」を入力し、
「E3」～「H3」が、「I3」に数量「3」を入
力して「J3」に売上金額「300」が表示
されればOK！

うまくいかない場合は、
参照している範囲が
正しいか、
関数に記述ミスがないか、
確認してみて！

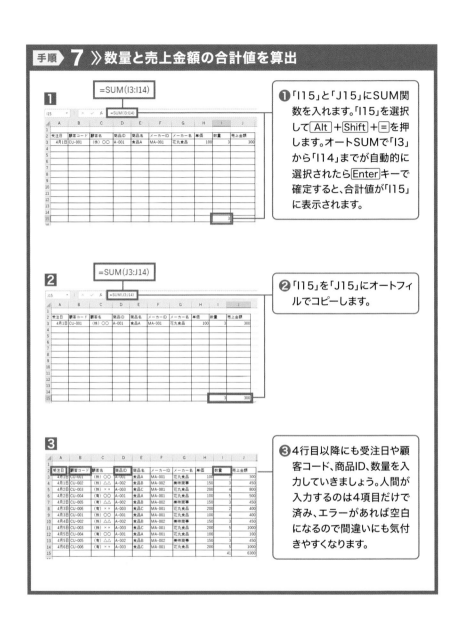

1

=SUM(I3:I14)

❶「I15」と「J15」にSUM関数を入れます。「I15」を選択して Alt + Shift + = を押します。オートSUMで「I3」から「I14」までが自動的に選択されたら Enter キーで確定すると、合計値が「I15」に表示されます。

2

=SUM(J3:J14)

❷「I15」を「J15」にオートフィルでコピーします。

3

❸4行目以降にも受注日や顧客コード、商品ID、数量を入力していきましょう。人間が入力するのは4項目だけで済み、エラーがあれば空白になるので間違いにも気付きやすくなります。

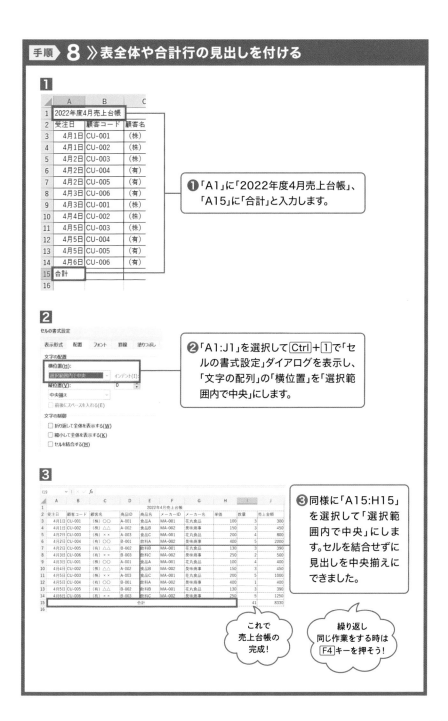

手順 8 ≫ 表全体や合計行の見出しを付ける

1

❶「A1」に「2022年度4月売上台帳」、「A15」に「合計」と入力します。

2

❷「A1:J1」を選択して Ctrl + 1 で「セルの書式設定」ダイアログを表示し、「文字の配列」の「横位置」を「選択範囲内で中央」にします。

3

❸同様に「A15:H15」を選択して「選択範囲内で中央」にします。セルを結合せずに見出しを中央揃えにできました。

これで売上台帳の完成!

繰り返し同じ作業をする時は F4 キーを押そう!

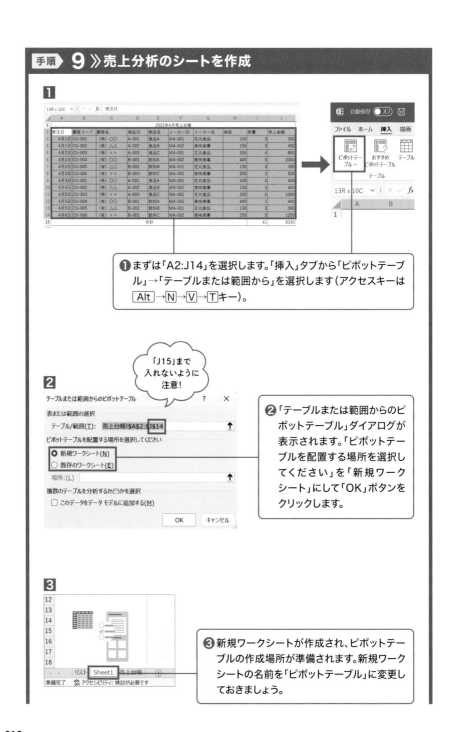

手順 9 ≫売上分析のシートを作成

1

❶ まずは「A2:J14」を選択します。「挿入」タブから「ピボットテーブル」→「テーブルまたは範囲から」を選択します（アクセスキーは Alt → N → V → T キー）。

「J15」まで
入れないように
注意！

2

❷ 「テーブルまたは範囲からのピボットテーブル」ダイアログが表示されます。「ピボットテーブルを配置する場所を選択してください」を「新規ワークシート」にして「OK」ボタンをクリックします。

3

❸ 新規ワークシートが作成され、ピボットテーブルの作成場所が準備されます。新規ワークシートの名前を「ピボットテーブル」に変更しておきましょう。

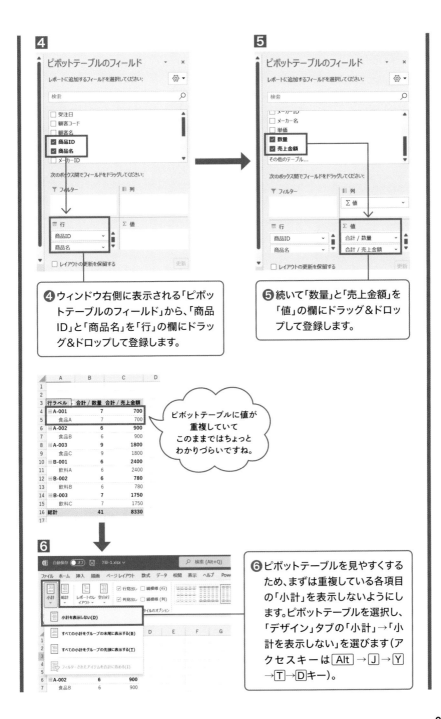

4 ウィンドウ右側に表示される「ピボットテーブルのフィールド」から、「商品ID」と「商品名」を「行」の欄にドラッグ＆ドロップして登録します。

5 続いて「数量」と「売上金額」を「値」の欄にドラッグ＆ドロップして登録します。

ピボットテーブルに値が重複していてこのままではちょっとわかりづらいですね。

6 ピボットテーブルを見やすくするため、まずは重複している各項目の「小計」を表示しないようにします。ピボットテーブルを選択し、「デザイン」タブの「小計」→「小計を表示しない」を選びます（アクセスキーは Alt → J → Y → T → D キー）。

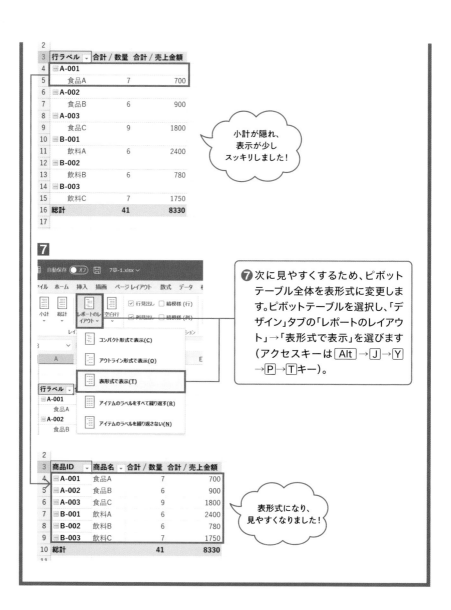

	A		合計 / 数量	合計 / 売上金額
2				
3	行ラベル ▼			
4	⊟A-001			
5	食品A		7	700
6	⊟A-002			
7	食品B		6	900
8	⊟A-003			
9	食品C		9	1800
10	⊟B-001			
11	飲料A		6	2400
12	⊟B-002			
13	飲料B		6	780
14	⊟B-003			
15	飲料C		7	1750
16	総計		41	8330
17				

小計が隠れ、表示が少しスッキリしました！

7

自動保存 ●オン 7章-1.xlsx ∨

ファイル　ホーム　挿入　描画　ページレイアウト　数式　データ

小計　総計　レポートのレイアウト ▽　空白行 ▽
☑ 行見出し　☑ 縞模様 (行)
☑ 列見出し　☑ 縞模様 (列)

コンパクト形式で表示(C)
アウトライン形式で表示(O)
表形式で表示(T)
アイテムのラベルをすべて繰り返す(R)
アイテムのラベルを繰り返さない(N)

行ラベル ▼
⊟A-001
食品A
⊟A-002
食品B

❼ 次に見やすくするため、ピボットテーブル全体を表形式に変更します。ピボットテーブルを選択し、「デザイン」タブの「レポートのレイアウト」→「表形式で表示」を選びます（アクセスキーは Alt → J → Y → P → T キー）。

	商品ID	商品名	合計 / 数量	合計 / 売上金額
2				
3	商品ID ▼	商品名 ▼		
4	⊟A-001	食品A	7	700
5	⊟A-002	食品B	6	900
6	⊟A-003	食品C	9	1800
7	⊟B-001	飲料A	6	2400
8	⊟B-002	飲料B	6	780
9	⊟B-003	飲料C	7	1750
10	総計		41	8330
11				

表形式になり、見やすくなりました！

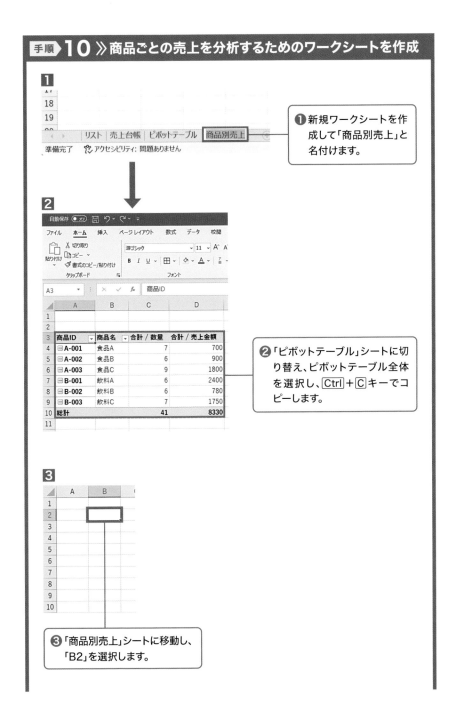

手順 10 ≫ 商品ごとの売上を分析するためのワークシートを作成

1

❶ 新規ワークシートを作成して「商品別売上」と名付けます。

2

❷「ピボットテーブル」シートに切り替え、ピボットテーブル全体を選択し、Ctrl+Cキーでコピーします。

3

❸「商品別売上」シートに移動し、「B2」を選択します。

第6章 実践編 売上台帳と採用管理シートを作ってみよう

4 「ホーム」タブの「貼り付け」から「値」をクリックします（アクセスキーは Alt →H→V→V キー）。

値のみのペーストなので、ピボットテーブルではなく通常の表になります

手順 11 ≫分析のため、わかりやすいグラフ作成

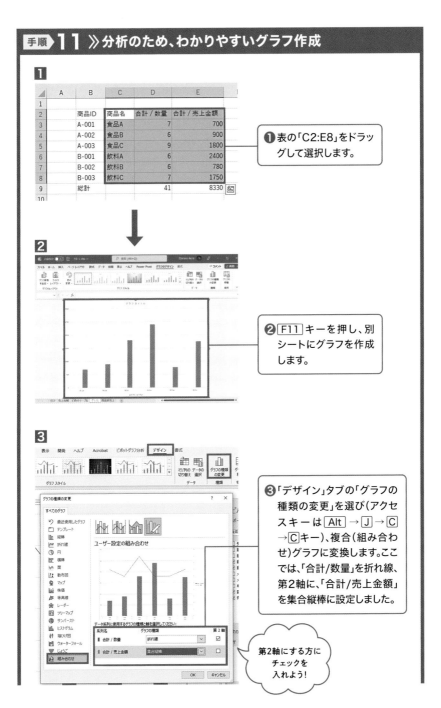

1

	A	B	C	D	E
1					
2		商品ID	商品名	合計 / 数量	合計 / 売上金額
3		A-001	食品A	7	700
4		A-002	食品B	6	900
5		A-003	食品C	9	1800
6		B-001	飲料A	6	2400
7		B-002	飲料B	6	780
8		B-003	飲料C	7	1750
9		総計		41	8330
10					

❶表の「C2:E8」をドラッグして選択します。

2

❷ F11 キーを押し、別シートにグラフを作成します。

3

❸「デザイン」タブの「グラフの種類の変更」を選び（アクセスキーは Alt → J → C → C キー）、複合（組み合わせ）グラフに変換します。ここでは、「合計/数量」を折れ線、第2軸に、「合計/売上金額」を集合縦棒に設定しました。

第2軸にする方にチェックを入れよう！

第6章　実践編　売上台帳と採用管理シートを作ってみよう

217

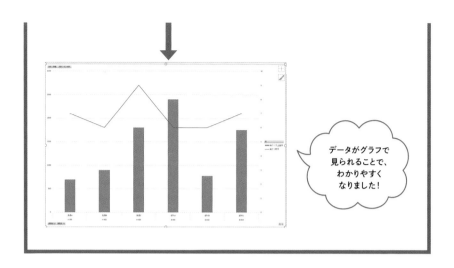

データがグラフで
見られることで、
わかりやすく
なりました!

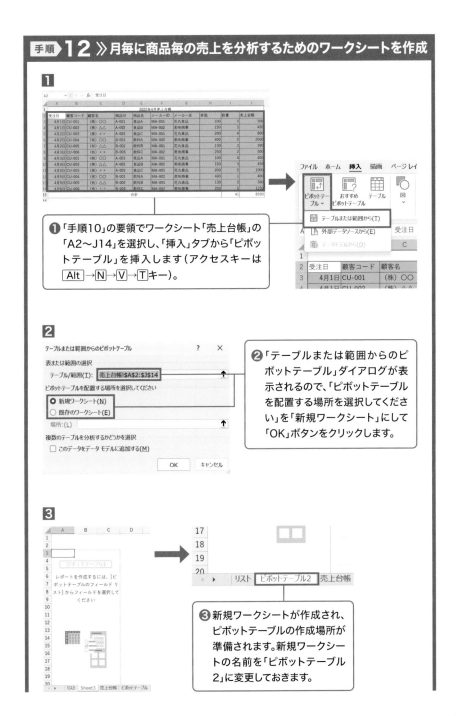

1

❶「手順10」の要領でワークシート「売上台帳」の「A2〜J14」を選択し、「挿入」タブから「ピボットテーブル」を挿入します（アクセスキーは Alt → N → V → T キー）。

2

❷「テーブルまたは範囲からのピボットテーブル」ダイアログが表示されるので、「ピボットテーブルを配置する場所を選択してください」を「新規ワークシート」にして「OK」ボタンをクリックします。

3

❸新規ワークシートが作成され、ピボットテーブルの作成場所が準備されます。新規ワークシートの名前を「ピボットテーブル2」に変更しておきます。

4

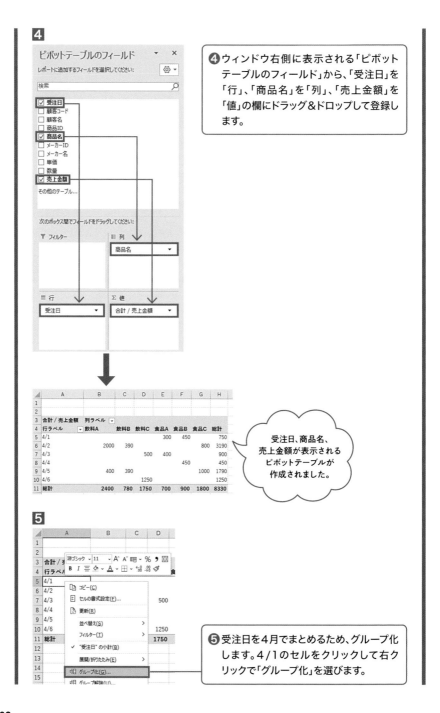

❹ウィンドウ右側に表示される「ピボットテーブルのフィールド」から、「受注日」を「行」、「商品名」を「列」、「売上金額」を「値」の欄にドラッグ＆ドロップして登録します。

受注日、商品名、
売上金額が表示される
ピボットテーブルが
作成されました。

5

❺受注日を4月でまとめるため、グループ化します。4/1のセルをクリックして右クリックで「グループ化」を選びます。

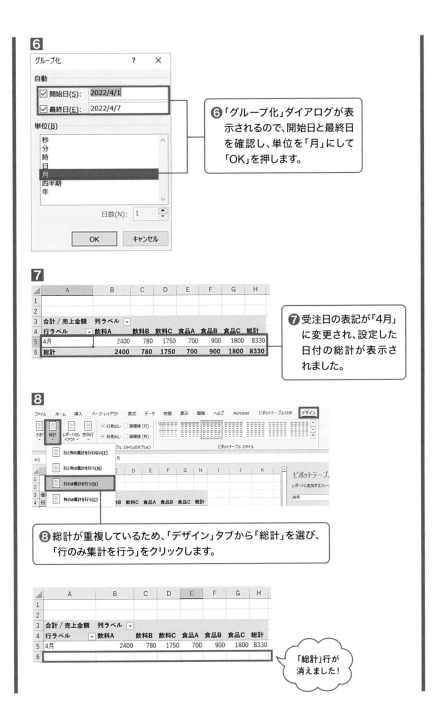

6

グループ化

自動

☑ 開始日(S): 2022/4/1

☑ 最終日(E): 2022/4/7

単位(B)

秒
分
時
日
月
四半期
年

日数(N): 1

OK　　キャンセル

❻「グループ化」ダイアログが表示されるので、開始日と最終日を確認し、単位を「月」にして「OK」を押します。

7

	A	B	C	D	E	F	G	H
1								
2								
3	合計 / 売上金額	列ラベル						
4	行ラベル	飲料A	飲料B	飲料C	食品A	食品B	食品C	総計
5	4月		2400	780	1750	700	900	1800	8330
6	総計		2400	780	1750	700	900	1800	8330

❼受注日の表記が「4月」に変更され、設定した日付の総計が表示されました。

8

ファイル　ホーム　挿入　ページ レイアウト　数式　データ　校閲　表示　開発　ヘルプ　Acrobat　ピボットテーブル分析　**デザイン**

小計　総計　レポートのレ　空白行　☑ 行見出し　☐ 縞模様 (行)
イアウト

☑ 列見出し　☐ 縞模様 (列)

行と列の集計を行わない(E)

行と列の集計を行う(N)

行のみ集計を行う(R)

列のみ集計を行う(C)

ブル スタイルのオプション　　ピボットテーブル スタイル

ピボットテーブル
レポートに追加するフィー

検索

❽総計が重複しているため、「デザイン」タブから「総計」を選び、「行のみ集計を行う」をクリックします。

	A	B	C	D	E	F	G	H
1								
2								
3	合計 / 売上金額	列ラベル						
4	行ラベル	飲料A	飲料B	飲料C	食品A	食品B	食品C	総計
5	4月		2400	780	1750	700	900	1800	8330
6								

「総計」行が消えました！

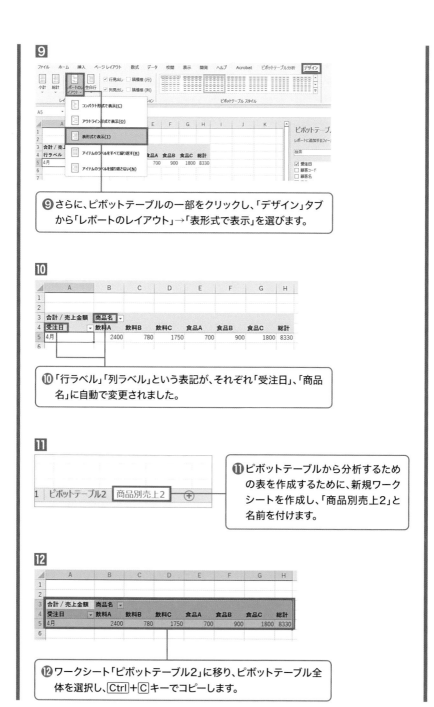

9

⑨さらに、ピボットテーブルの一部をクリックし、「デザイン」タブから「レポートのレイアウト」→「表形式で表示」を選びます。

10

	A	B	C	D	E	F	G	H
1								
2								
3	合計 / 売上金額	商品名						
4	受注日	飲料A	飲料B	飲料C	食品A	食品B	食品C	総計
5	4月	2400	780	1750	700	900	1800	8330
6								

⑩「行ラベル」「列ラベル」という表記が、それぞれ「受注日」、「商品名」に自動で変更されました。

11

1	ピボットテーブル2	商品別売上2	⊕

⑪ピボットテーブルから分析するための表を作成するために、新規ワークシートを作成し、「商品別売上2」と名前を付けます。

12

	A	B	C	D	E	F	G	H
1								
2								
3	合計 / 売上金額	商品名						
4	受注日	飲料A	飲料B	飲料C	食品A	食品B	食品C	総計
5	4月	2400	780	1750	700	900	1800	8330
6								

⑫ワークシート「ピボットテーブル2」に移り、ピボットテーブル全体を選択し、Ctrl+Cキーでコピーします。

⊿	A	B	C	D	E	F	G	H	I
1									
2		合計 / 売上金額	商品名						
3		受注日	飲料A	飲料B	飲料C	食品A	食品B	食品C	総計
4		4月	2400	780	1750	700	900	1800	8330

⑬ワークシート「商品別売上2」に移動し、「B2」を選択して「値の貼り付け」を行い、表を作成します。

⊿	A	B	C	D	E	F	G	H	I	J
1										
2		合計 / 売…	商品名							
3		受注日	飲料A	飲料B	飲料C	食品A	食品B	食品C	総計	
4		4月	2400	780	1750	700	900	1800	8330	
5		5月								
6		6月								
7		7月								
8		8月								
9		9月								
10		10月								
11		11月								
12		12月								
13		1月								
14		2月								
15		3月								
16			総計							

⑭他のデータも入力できるよう、「B3:J15」までを選択して格子の罫線をかけ、表の体裁に整えましょう。

J3		▼	:	×	✓	fx	グラフ				
⊿	A	B	C	D	E	F	G	H	I	J
1										
2		合計 / 売…	商品名							
3		受注日	飲料A	飲料B	飲料C	食品A	食品B	食品C	総計	グラフ
4		4月	2400	780	1750	700	900	1800	8330	
5		5月								

⑮さらに一目で傾向がわかるようにグラフを挿入します。ここでは大きなグラフではなく、セル内に小さなグラフを表示する「スパークライン」を使用します。まず「J3」に「グラフ」と見出しを入力します。

16

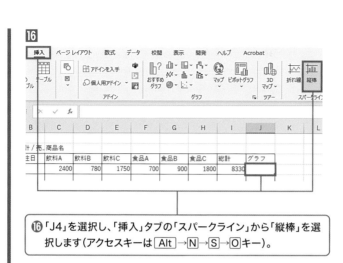

⑯「J4」を選択し、「挿入」タブの「スパークライン」から「縦棒」を選択します（アクセスキーは Alt →N→S→O キー）。

17

⑰「スパークラインの作成」ダイアログが表示されるので、「データを選択してください」→「データ範囲」にカーソルを入れ、「C4:H4」をドラッグして選択し、「OK」をクリックします（手入力でもOK）。

セルの中に小さな
縦棒グラフが表示され、
量の大小を感覚的に
つかみやすくなりました！

シートの保護をかけたり解除したりするのに、毎回校閲タブに切り替えて作業するのは面倒です。そこで、保護と解除をそれぞれマクロのボタンに設定しておけば、作業する際にすぐに切り替えられます。

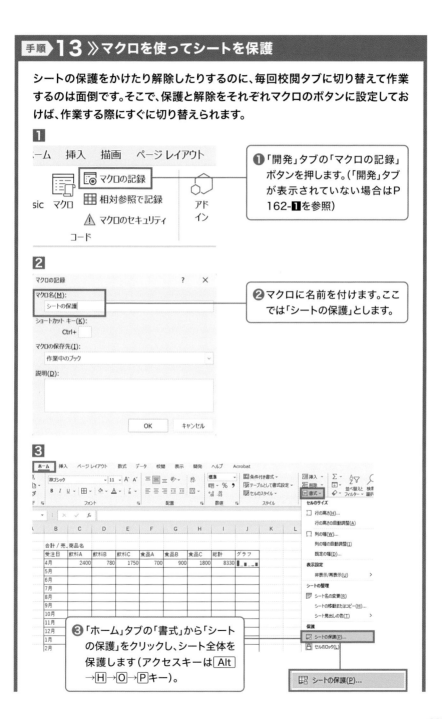

1

❶「開発」タブの「マクロの記録」ボタンを押します。(「開発」タブが表示されていない場合はP162-**1**を参照)

2

❷マクロに名前を付けます。ここでは「シートの保護」とします。

3

❸「ホーム」タブの「書式」から「シートの保護」をクリックし、シート全体を保護します(アクセスキーは Alt →H→O→Pキー)。

第6章

実践編 売上台帳と採用管理シートを作ってみよう

225

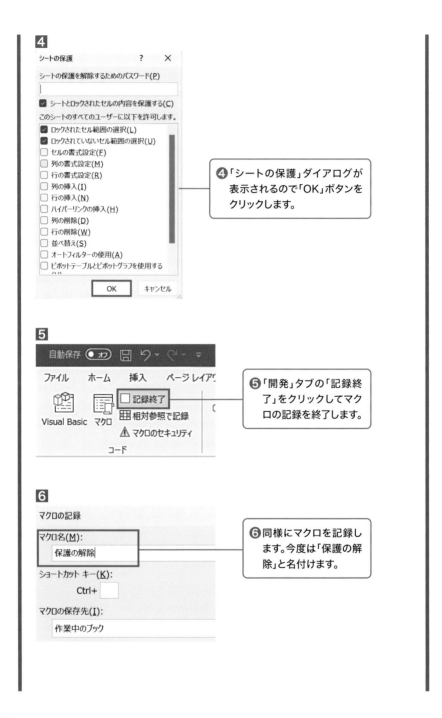

4

シートの保護　　　　　　? ✕

シートの保護を解除するためのパスワード(P)

☑ シートとロックされたセルの内容を保護する(C)

このシートのすべてのユーザーに以下を許可します。

☑ ロックされたセル範囲の選択(L)
☑ ロックされていないセル範囲の選択(U)
☐ セルの書式設定(F)
☐ 列の書式設定(M)
☐ 行の書式設定(R)
☐ 列の挿入(I)
☐ 行の挿入(N)
☐ ハイパーリンクの挿入(H)
☐ 列の削除(D)
☐ 行の削除(W)
☐ 並べ替え(S)
☐ オートフィルターの使用(A)
☐ ピボットテーブルとピボットグラフを使用する

　　　　　OK　　　　キャンセル

❹「シートの保護」ダイアログが
表示されるので「OK」ボタンを
クリックします。

5

自動保存 ● オフ 🖫 🔄 🔄 ▾

ファイル　ホーム　挿入　ページ レイア

Visual Basic　マクロ　　☐ 記録終了
　　　　　　　　　　　⊞ 相対参照で記録
　　　　　　　　　　　⚠ マクロのセキュリティ

コード

❺「開発」タブの「記録終
了」をクリックしてマク
ロの記録を終了します。

6

マクロの記録

マクロ名(M):

保護の解除

ショートカット キー(K):

Ctrl+　□

マクロの保存先(I):

作業中のブック

❻同様にマクロを記録し
ます。今度は「保護の解
除」と名付けます。

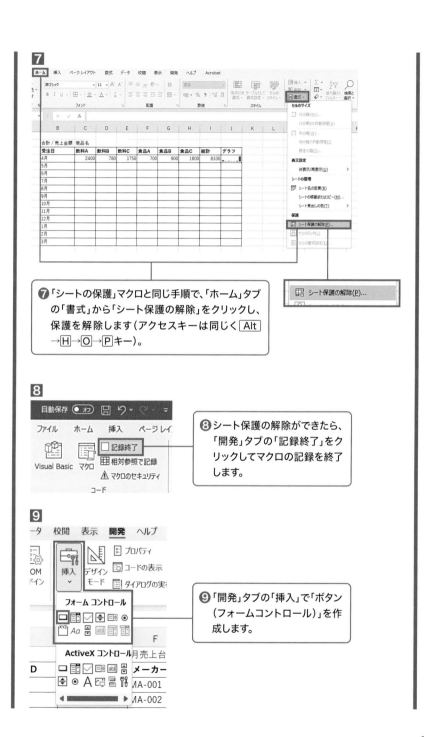

7

受注日	飲料A	飲料B	飲料C	食品A	食品B	食品C	総計	グラフ
4月	2400	780	1750	700	900	1800	8330	
5月								
6月								
7月								
8月								
9月								
10月								
11月								
12月								
1月								
2月								
3月								

❼「シートの保護」マクロと同じ手順で、「ホーム」タブの「書式」から「シート保護の解除」をクリックし、保護を解除します（アクセスキーは同じく[Alt]→[H]→[O]→[P]キー）。

8

❽シート保護の解除ができたら、「開発」タブの「記録終了」をクリックしてマクロの記録を終了します。

9

❾「開発」タブの「挿入」で「ボタン（フォームコントロール）」を作成します。

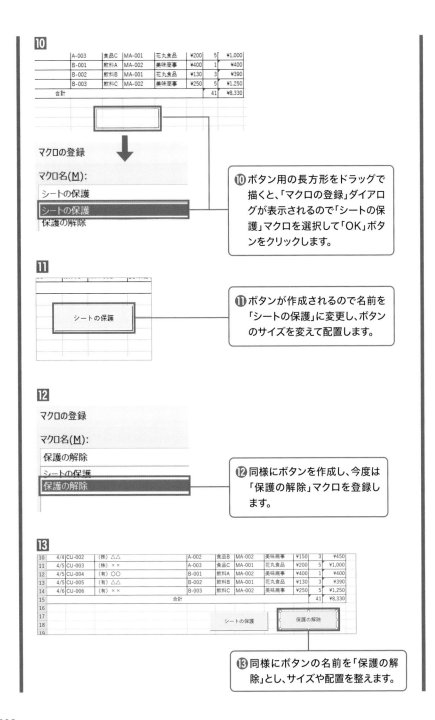

10

	A-003	食品C	MA-001	花丸食品	¥200	5	¥1,000
	B-001	飲料A	MA-002	美味商事	¥400	1	¥400
	B-002	飲料B	MA-001	花丸食品	¥130	3	¥390
	B-003	飲料C	MA-002	美味商事	¥250	5	¥1,250
合計						41	¥8,330

マクロの登録

マクロ名(M):

シートの保護

シートの保護

保護の解除

⓾ボタン用の長方形をドラッグで
描くと、「マクロの登録」ダイアロ
グが表示されるので「シートの保
護」マクロを選択して「OK」ボタ
ンをクリックします。

11

シートの保護

⓫ボタンが作成されるので名前を
「シートの保護」に変更し、ボタン
のサイズを変えて配置します。

12

マクロの登録

マクロ名(M):

保護の解除

シートの保護

保護の解除

⓬同様にボタンを作成し、今度は
「保護の解除」マクロを登録し
ます。

13

10	4/4	CU-002	(株) △△		A-002	食品B	MA-002	美味商事	¥150	3	¥450
11	4/5	CU-003	(株) ××		A-003	食品C	MA-001	花丸食品	¥200	5	¥1,000
12	4/5	CU-004	(有) ○○		B-001	飲料A	MA-002	美味商事	¥400	1	¥400
13	4/5	CU-005	(有) △△		B-002	飲料B	MA-001	花丸食品	¥130	3	¥390
14	4/6	CU-006	(有) ××		B-003	飲料C	MA-002	美味商事	¥250	5	¥1,250
15			合計							41	¥8,330
16											
17						シートの保護		保護の解除			
18											
19											

⓭同様にボタンの名前を「保護の解
除」とし、サイズや配置を整えます。

⓮「保護する」ボタンを押してデータ入力ができなくなっていれば、保護マクロが正常に働いています。続いて「保護の解除」ボタンを押して入力が可能なら、「ブックの保護」が解除されています。

応募者管理から結果判定まで
採用管理シートを作ってみよう

続いて、アルバイトやパート、社員を募集した際の採用管理シートを作ってみましょう。

　採用管理シートでは、応募してきた各人の連絡先などの個人情報、面談を実施する日時、採用試験での評価を管理します。今回は2名を採用する予定なので、評価点の順位から上位2名がすぐわかるような表にしたいと思います。

これを作ります！

	A	B	C	D	E	F	G	H
1								
2	No.	申込日	名前	メールアドレス	電話番号	住所	最寄り駅	面談日
3	1	2022/10/20	山田 太郎	○○@gmail.com	000-0000-0000	東京都板橋区	●駅	2022/10/22
4	2	2022/10/21	山本 花子	△△@gmail.com	111-1111-1111	東京都足立区	▲駅	2022/10/23
5	3	2022/10/22	中野 愛子	□□@gmail.com	222-2222-2222	東京都北区	■駅	2022/10/24
6	4	2022/10/23	佐々木 太一	◎◎@gmail.com	333-3333-3333	東京都荒川区	◎駅	2022/10/25
7	5	2022/10/24	田中 奈々子	××@gmail.com	444-4444-4444	東京都練馬区	×駅	2022/10/26
8								
9								
10								
11								

申込日

- 2022/10/20
- 2022/10/21
- 2022/10/22
- 2022/10/23
- 2022/10/24
- (空白)

面談日

- 2022/10/22
- 2022/10/23
- 2022/10/24
- 2022/10/25
- 2022/10/26
- (空白)

結果

- 採用
- 不採用
- (空白)

まずは応募してきた人の氏名、メールアドレス、電話番号、住所といった連絡先の情報が必要です。申込日や、通勤費の支給も考えて、最寄駅も記録しておきましょう。

　面接を行う日時や採用試験の点数もこの表で管理します。今回は2名採用予定ですから、面接、書類、実技という3つの評価の平均点を出して、応募者の上位2名をすぐ表示できるような仕組みにします。そして連絡忘れを防ぐために、連絡したかどうかをチェックし、連絡したことがわかりやすいようにもしましょう。

	I	J	K	L	M	N	O	P
		評価（5段階）						
	時間 ▼	面接 ▼	書類 ▼	実技 ▼	評価 ▼	星 ▼	結果 ▼	連絡 ▼
	10:00	4	5	4	4	★★★★☆	不採用	☐
	11:00	1	2	1	1	★☆☆☆☆	不採用	☐
	12:00	4	5	5	5	★★★★★	採用	☐
	13:00	3	3	4	3	★★★☆☆	不採用	☐
	14:00	5	5	5	5	★★★★★	採用	☑
								☐
								☐
								☐

まずは採用管理シートに記録する項目を用意します。管理用に番号を振り、「申込日」「氏名」「メールアドレス」「電話番号」「住所」「最寄駅」は最低限必要です。

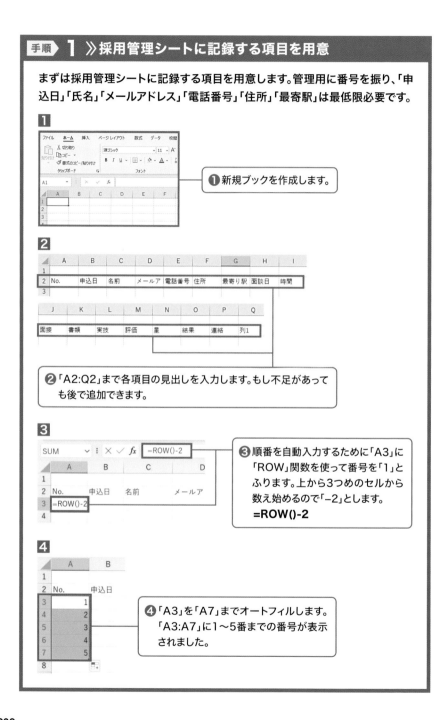

1

❶新規ブックを作成します。

2

❷「A2:Q2」まで各項目の見出しを入力します。もし不足があっても後で追加できます。

3

❸順番を自動入力するために「A3」に「ROW」関数を使って番号を「1」とふります。上から3つめのセルから数え始めるので「−2」とします。
=ROW()-2

4

❹「A3」を「A7」までオートフィルします。「A3:A7」に1〜5番までの番号が表示されました。

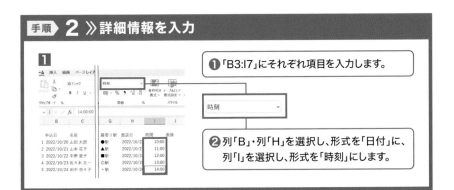

1

❶「B3:I7」にそれぞれ項目を入力します。

時刻

❷列「B」・列「H」を選択し、形式を「日付」に、列「I」を選択し、形式を「時刻」にします。

判定用の関数を入力していきましょう。まずは「評価」を列「M」に表示する関数を考えます。

●AVERAGE、ROUND、IFERROR関数

目的 採用試験の平均点＝「評価」を表示したい

考え方 評価は「面接」＝列「J」、「書類」＝列「K」、「実技」＝列「L」に5段階で入力され、平均点を四捨五入して「評価」欄＝列「M」に表示します。
平均点なので①「AVERAGE」関数を使い、平均を求めます（1）。②平均の結果を「ROUND」関数を使って小数点第1位を四捨五入して整数に丸めます（2）。点数が入力されていない状態でエラー表示が行われないように「IFERROR」関数でエラー表示を空白にします（3）。

関数 (1)「=AVERAGE(面接,書類,実技)」
(2)「=ROUND(AVERAGE(面接,書類,実技),0)」
(3)「=IFERROR(ROUND(AVERAGE(面接,書類,実技),0),"")」

1

❶「M3」に関数を入力してみましょう！
=IFERROR(ROUND(AVERAGE(J3:L3),0),"")
入力できたら、「M3」を「M7」までオートフィルします。

次に、点数を数字ではなくビジュアルとしてわかりやすく表示したいので、5段階評価で「★」の数で表現するようにします。これには「REPT」関数を使います。

●REPT関数

目的 採用試験の結果を「★」の数で表示したい

考え方 「★」を点数分の個数表示する。評価は5段階なので、5に満たない部分は「☆」にして幅を一定にして見やすくしたい。

関数 =REPT("★",M3)&REPT("☆",5-M3)

❶ まず、「N3」に関数を入力します。点数は列「M」にあるので、参照して「REPT」関数の繰り返し数とします。
=REPT("★",M3)

これを / この回数繰り返す
つまり「★」を「M3」個
表示するという式になる

❷ 5段階評価なので、5に満たない部分は「☆」表示にします。5から列「M」を引いたものが「☆」の数になります。
=REPT("☆",5-M3)

「☆」を「5-M3」個表示するという式になる

❸ 「★」と「☆」が連続して表示されるように「&」でつなぎます。
=REPT("★",M3)&REPT("☆",5-M3)

❹ 点数が入力されていない状態でエラー表示が行われないように「IFERROR」関数でエラー表示を「空白」にします。
=IFERROR(REPT("★",M3)&REPT("☆",5-M3),"")

"★"×(評価) / "☆"×(5-評価) / ※評価→1なら、★×1&☆×4となる

❺ 「N3」を「N7」までオートフィルします。

次に合否判定を行います。全受験者の「評価」を参照して、順位付けを行います。この順位が2位以上であれば「採用」、3位以下は「不採用」とします。順位付けを行うには「RANK.AVG」関数を使います。

●RANK.AVG関数

目的 全受験者の採用試験の結果を比較して、上位2名を「採用」と表示したい

考え方 全受験者の評価＝列「M」を参照し、指定した受験者の評価＝列「M」の得点ランキングを出す。

関数 =RANK.AVG(M3,$M$3:$M$7,0)

順位を知りたい受験者の評価　　　0→降順、1→昇順（省略可能）

全受験者の評価範囲　※オートフィル対策として絶対参照

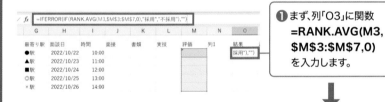

G	H	I	J	K	L	M	N	O
最寄り駅	面談日	時間	面接	書類	実技	評価	列1	結果
●駅	2022/10/22	10:00						採用"),"")
▲駅	2022/10/23	11:00						
■駅	2022/10/24	12:00						
○駅	2022/10/25	13:00						
×駅	2022/10/26	14:00						

❶ まず、列「O3」に関数
=RANK.AVG(M3,
$M$3:$M$7,0)
を入力します。

❷ 次に、順位が2位以上（1位or2位）であれば「採用」、そうでないなら「不採用」と表示するために「IF」関数を重ねます。

=IF(RANK.AVG(M3,$M$3:$M$7,0)<=2,"採用","不採用")

条件（順位の値が2以下の時）　　　真　　　偽

❸ 最後に点数が入力されていない状態でエラー表示が行われないように「IFERROR」関数でエラー表示を「空白」にします。

=IFERROR(IF(RANK.AVG(M3,$M$3:$M$7,0)<=2,"採用","不採用"),"")

❹ 「O3」を「O7」までオートフィルします。

このままではわかりにくいので、列「O」に「条件付き書式」を設定し、「採用」なら赤い太字で表示されるようにします。

1

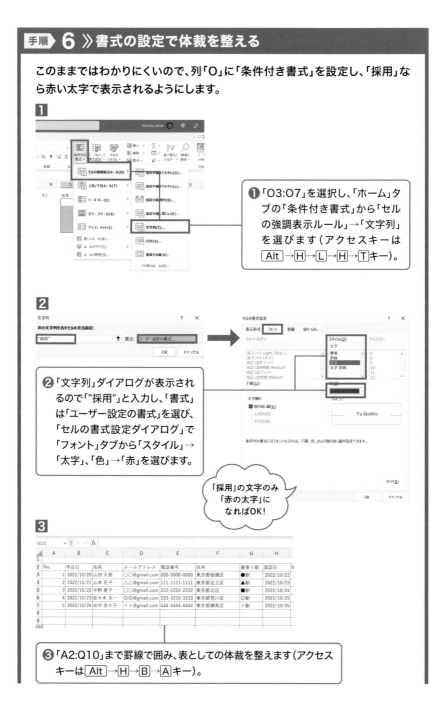

❶「O3:O7」を選択し、「ホーム」タブの「条件付き書式」から「セルの強調表示ルール」→「文字列」を選びます（アクセスキーは Alt → H → L → H → T キー）。

2

❷「文字列」ダイアログが表示されるので「"採用"」と入力し、「書式」は「ユーザー設定の書式」を選び、「セルの書式設定ダイアログ」で「フォント」タブから「スタイル」→「太字」、「色」→「赤」を選びます。

「採用」の文字のみ「赤の太字」になればOK！

3

❸「A2:Q10」まで罫線で囲み、表としての体裁を整えます（アクセスキーは Alt → H → B → A キー）。

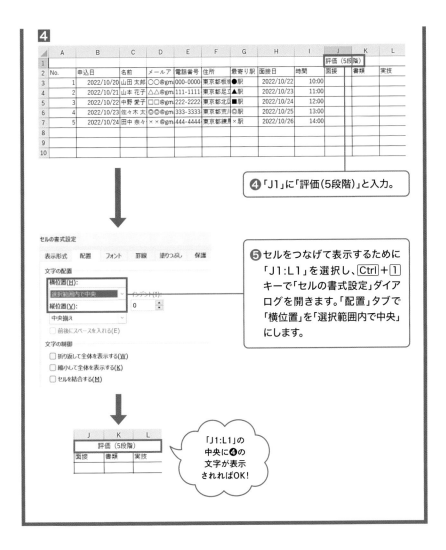

4

	A	B	C	D	E	F	G	H	I	J	K	L
1										評価（5段階）		
2	No.	申込日	名前	メールア	電話番号	住所	最寄り駅	面接日	時間	面接	書類	実技
3	1	2022/10/20	山田 太郎	○○@gm	000-0000	東京都板橋	●駅	2022/10/22	10:00			
4	2	2022/10/21	山本 花子	△△@gm	111-1111	東京都足立	▲駅	2022/10/23	11:00			
5	3	2022/10/22	中野 愛子	□□@gm	222-2222	東京都北区	■駅	2022/10/24	12:00			
6	4	2022/10/23	佐々木 太	◎◎@gm	333-3333	東京都荒川	◎駅	2022/10/25	13:00			
7	5	2022/10/24	田中 奈々	××@gm	444-4444	東京都練馬	×駅	2022/10/26	14:00			
8												
9												
10												

❹「J1」に「評価（5段階）」と入力。

セルの書式設定

表示形式　配置　フォント　罫線　塗りつぶし　保護

文字の配置
横位置(H):
選択範囲内で中央
インデント(I):
0
縦位置(V):
中央揃え
□ 前後にスペースを入れる(E)

文字の制御
□ 折り返して全体を表示する(W)
□ 縮小して全体を表示する(K)
□ セルを結合する(M)

❺セルをつなげて表示するために
「J1:L1」を選択し、Ctrl＋1
キーで「セルの書式設定」ダイア
ログを開きます。「配置」タブで
「横位置」を「選択範囲内で中央」
にします。

J	K	L
	評価（5段階）	
面接	書類	実技

「J1:L1」の
中央に❹の
文字が表示
されればOK！

手順 7 ≫受験者への連絡チェックボックスを挿入

合否決定後に受験者に連絡したことを確認するため、列「P」にチェックボックスを挿入します。チェックボックスはクリックするとマークが付けられる便利な機能ですが、Excelの標準機能には用意されていません。そこで、まずチェックボックスを利用できるようにします。

1

❶「開発」タブが表示されていない場合、Excelの「ファイル」画面の左下から「オプション」を選んで開きます。

2

❷「Excelのオプション」ダイアログが表示されるので、左から「リボンのユーザー設定」を選び、右側の「メインタブ」で「開発」にチェックを付け、「OK」ボタンをクリックします。

3

❸リボンに「開発」タブが表示されるようになりました。チェックボックスは「開発」タブの中にあります。

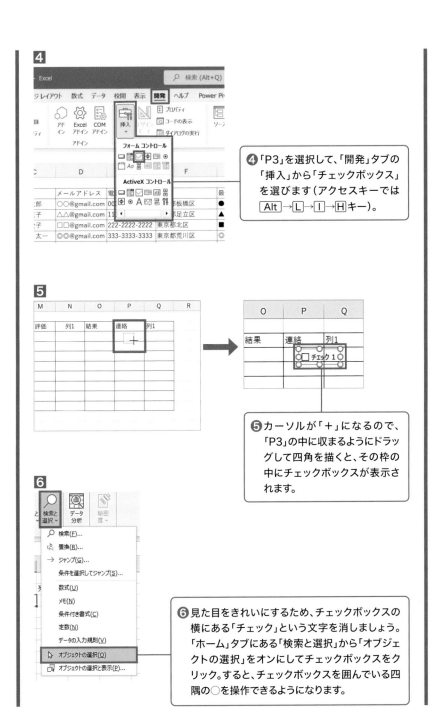

4

④「P3」を選択して、「開発」タブの「挿入」から「チェックボックス」を選びます（アクセスキーでは `Alt`→`L`→`I`→`H`キー）。

5

⑤カーソルが「＋」になるので、「P3」の中に収まるようにドラッグして四角を描くと、その枠の中にチェックボックスが表示されます。

6

⑥見た目をきれいにするため、チェックボックスの横にある「チェック」という文字を消しましょう。「ホーム」タブにある「検索と選択」から「オブジェクトの選択」をオンにしてチェックボックスをクリック。すると、チェックボックスを囲んでいる四隅の○を操作できるようになります。

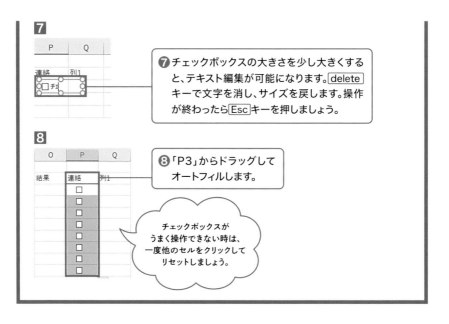

7 チェックボックスの大きさを少し大きくすると、テキスト編集が可能になります。delete キーで文字を消し、サイズを戻します。操作が終わったら Esc キーを押しましょう。

8 「P3」からドラッグしてオートフィルします。

チェックボックスが
うまく操作できない時は、
一度他のセルをクリックして
リセットしましょう。

手順 8 ≫行全体の色を自動で変える

チェックを付けたあと、行の色がグレーアウトするように、条件付き書式を全体に適用します。そのために必要な設定からやっていきましょう。

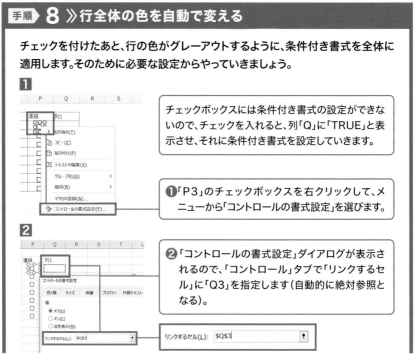

1

チェックボックスには条件付き書式の設定ができないので、チェックを入れると、列「Q」に「TRUE」と表示させ、それに条件付き書式を設定していきます。

1 「P3」のチェックボックスを右クリックして、メニューから「コントロールの書式設定」を選びます。

2

2 「コントロールの書式設定」ダイアログが表示されるので、「コントロール」タブで「リンクするセル」に「Q3」を指定します（自動的に絶対参照となる）。

リンクするセル(L): | $Q$3 | ⬍

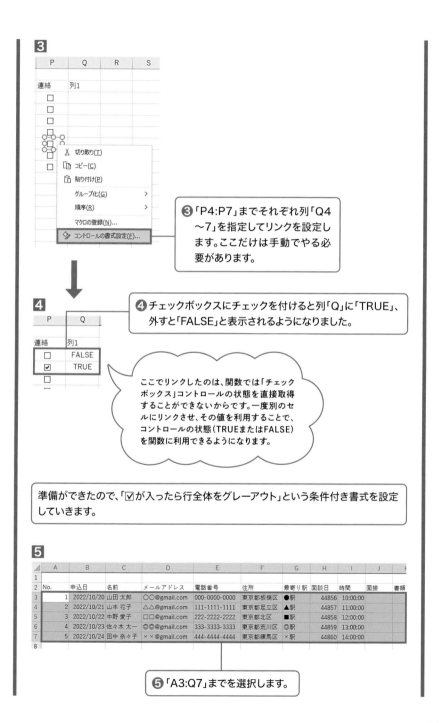

3

P	Q	R	S
連絡	列1		
☐			
☐			
☐			

- ✂ 切り取り(T)
- 📋 コピー(C)
- 📋 貼り付け(P)
- グループ化(G) >
- 順序(R) >
- マクロの登録(N)...
- ✨ コントロールの書式設定(F)...

❸「P4:P7」までそれぞれ列「Q4
～7」を指定してリンクを設定し
ます。ここだけは手動でやる必
要があります。

4

P	Q
連絡	列1
☐	FALSE
☑	TRUE
☐	

❹チェックボックスにチェックを付けると列「Q」に「TRUE」、
外すと「FALSE」と表示されるようになりました。

ここでリンクしたのは、関数では「チェック
ボックス」コントロールの状態を直接取得
することができないからです。一度別のセ
ルにリンクさせ、その値を利用することで、
コントロールの状態(TRUEまたはFALSE)
を関数に利用できるようになります。

準備ができたので、「☑が入ったら行全体をグレーアウト」という条件付き書式を設定
していきます。

5

	A	B	C	D	E	F	G	H	I	J	K
1											
2	No.	申込日	名前	メールアドレス	電話番号	住所	最寄り駅	面談日	時間	面接	書類
3	1	2022/10/20	山田 太郎	○○@gmail.com	000-0000-0000	東京都板橋区	●駅	44856	10:00:00		
4	2	2022/10/21	山本 花子	△△@gmail.com	111-1111-1111	東京都足立区	▲駅	44857	11:00:00		
5	3	2022/10/22	中野 愛子	□□@gmail.com	222-2222-2222	東京都北区	■駅	44858	12:00:00		
6	4	2022/10/23	佐々木 太一	◎◎@gmail.com	333-3333-3333	東京都荒川区	◎駅	44859	13:00:00		
7	5	2022/10/24	田中 奈々子	××@gmail.com	444-4444-4444	東京都練馬区	×駅	44860	14:00:00		
8											

❺「A3:Q7」までを選択します。

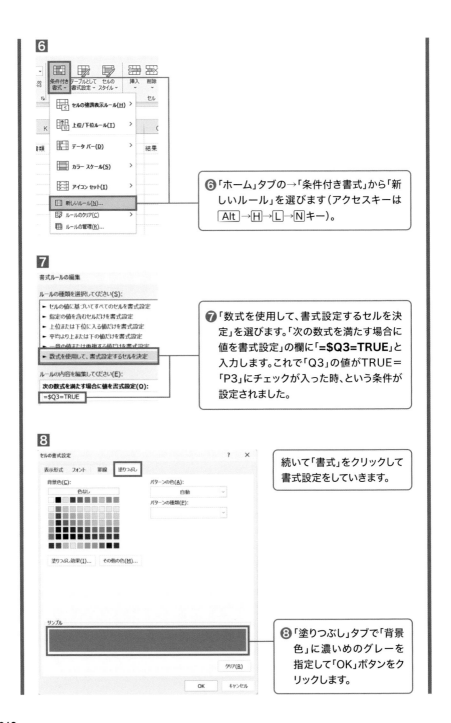

6

❻「ホーム」タブの→「条件付き書式」から「新しいルール」を選びます（アクセスキーは Alt →H→L→N キー）。

7

書式ルールの編集

ルールの種類を選択してください(S):

► セルの値に基づいてすべてのセルを書式設定
► 指定の値を含むセルだけを書式設定
► 上位または下位に入る値だけを書式設定
► 平均より上または下の値だけを書式設定
► 一意の値または重複する値だけを書式設定
► 数式を使用して、書式設定するセルを決定

ルールの内容を編集してください(E):

次の数式を満たす場合に値を書式設定(O):

=$Q3=TRUE

❼「数式を使用して、書式設定するセルを決定」を選びます。「次の数式を満たす場合に値を書式設定」の欄に「**=$Q3=TRUE**」と入力します。これで「Q3」の値がTRUE＝「P3」にチェックが入った時、という条件が設定されました。

8

セルの書式設定   ? ×

表示形式 フォント 罫線 塗りつぶし

背景色(C):   パターンの色(A):
　　　　色なし　　　　　　　　　　自動
　　　　　　　　　　　　　　　　　　パターンの種類(P):

塗りつぶし効果(I)... その他の色(M)...

サンプル

クリア(R)

OK   キャンセル

続いて「書式」をクリックして書式設定をしていきます。

❽「塗りつぶし」タブで「背景色」に濃いめのグレーを指定して「OK」ボタンをクリックします。

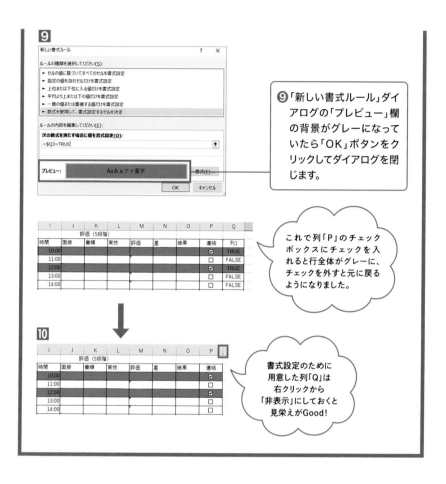

9 「新しい書式ルール」ダイアログの「プレビュー」欄の背景がグレーになっていたら「OK」ボタンをクリックしてダイアログを閉じます。

これで列「P」のチェックボックスにチェックを入れると行全体がグレーに、チェックを外すと元に戻るようになりました。

書式設定のために用意した列「Q」は右クリックから「非表示」にしておくと見栄えがGood!

表の中から一部だけを取り出したいので、瞬時にフィルターをかけられるように
「スライサー」機能を設定します。

1

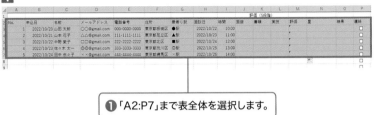

❶「A2:P7」まで表全体を選択します。

2

❷「挿入」タブの「テーブル」を選択して、表全体をテーブルに
変換します（ショートカットキーは Ctrl ＋ T キー）。「先頭行
を見出しとして使用する」にチェックを入れます。

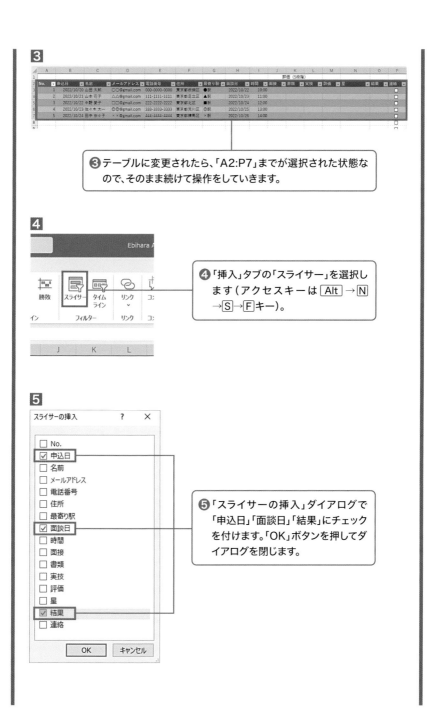

3

❸テーブルに変更されたら、「A2:P7」までが選択された状態なので、そのまま続けて操作をしていきます。

4

Ebihara A

勝敗　スライサー　タイム
ライン

リンク
〜

コ

イン　　フィルター　　リンク　　コ

❹「挿入」タブの「スライサー」を選択します（アクセスキーは Alt → N →S→F キー）。

5

スライサーの挿入　　　？　　×

☐ No.
☑ 申込日
☐ 名前
☐ メールアドレス
☐ 電話番号
☐ 住所
☐ 最寄り駅
☑ 面談日
☐ 時間
☐ 面接
☐ 書類
☐ 実技
☐ 評価
☐ 星
☑ 結果
☐ 連絡

OK　　　キャンセル

❺「スライサーの挿入」ダイアログで「申込日」「面談日」「結果」にチェックを付けます。「OK」ボタンを押してダイアログを閉じます。

6

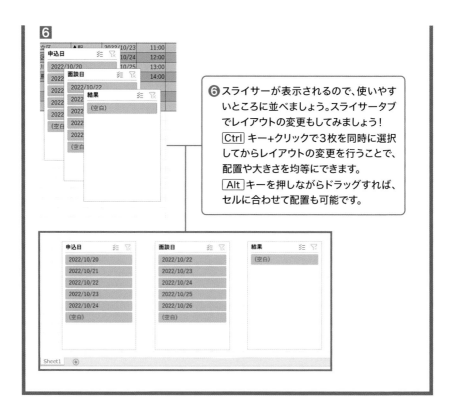

❻スライサーが表示されるので、使いやす
いところに並べましょう。スライサータブ
でレイアウトの変更もしてみましょう!
Ctrl キー+クリックで3枚を同時に選択
してからレイアウトの変更を行うことで、
配置や大きさを均等にできます。
Alt キーを押しながらドラッグすれば、
セルに合わせて配置も可能です。

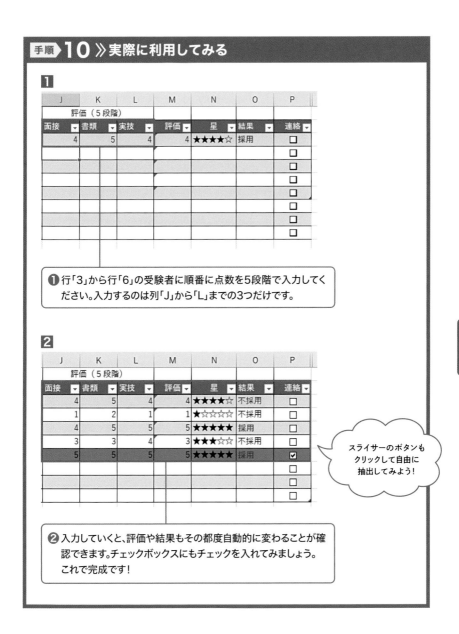

1

❶ 行「3」から行「6」の受験者に順番に点数を5段階で入力してください。入力するのは列「J」から「L」までの3つだけです。

2

❷ 入力していくと、評価や結果もその都度自動的に変わることが確認できます。チェックボックスにもチェックを入れてみましょう。これで完成です！

スライサーのボタンもクリックして自由に抽出してみよう！

\ 200以上を網羅！ /
ショートカット&時短
ワザ別さくいん

※ショートカットキーやアクセスキーを含むものは⑤（ショートカットキー）、Ⓐ（アクセスキー）と表記している

【キーワード】

かりゆし｜Excel図解

「Excelが好きになる」と話題のTwitterアカウントや、オンラインExcelスクール「EXCEL STUDIO」を運営。今日から使えるExcelスキル術を初心者でも分かるように図解で発信し、Twitterフォロワーは6.4万人を誇る（2023年1月現在）。Excelは覚えるな、感じろ。Excelが苦手な人の力に少しでもなりたいです。

● Twitter
https://twitter.com/excel_kariyushi

● EXCEL STUDIO
https://excel-online.studio.site/

仕事が10倍速くなる！
見るだけExcelカンタン図解

2023年3月3日　初版発行

著　者　かりゆし｜Excel図解

発行者　山下 直久

発　行　株式会社KADOKAWA
〒102-8177 東京都千代田区富士見2-13-3
電話：0570-002-301（ナビダイヤル）

印刷所　凸版印刷株式会社